别害怕，你所向往的生活

生活

写给一直被生活怠慢的你

Don't
be afraid of the life
you've imagined

林特特 著

宫学萍 / 评

江苏凤凰文艺出版社

JIANGSU PHOENIX LITERATURE AND
ART PUBLISHING, LTD

图书在版编目（ＣＩＰ）数据

别害怕你所向往的生活 / 林特特著. -- 南京 ：江
苏凤凰文艺出版社，2015
ISBN 978-7-5399-7864-2

Ⅰ. ①别… Ⅱ. ①林… Ⅲ. ①成功心理－青年读物
Ⅳ. ①B848.4-49

中国版本图书馆CIP数据核字(2014)第269255号

书　　　　名	别害怕你所向往的生活	
著　　　者	林特特	
责 任 编 辑	黄孝阳	
出 版 发 行	凤凰出版传媒股份有限公司	
	江苏凤凰文艺出版社	
出版社地址	南京市中央路165号，邮编：210009	
出版社网址	http://www.jswenyi.com	
发　　　行	北京时代华语图书股份有限公司　010-83670231	
经　　　销	凤凰出版传媒股份有限公司	
印　　　刷	三河市宏图印务有限公司	
开　　　本	880×1230毫米　　1/32	
印　　　张	8.5	
字　　　数	140千字	
版　　　次	2015年1月第1版，2015年1月第1次印刷	
标 准 书 号	ISBN 978-7-5399-7864-2	
定　　　价	38.00元	

（江苏文艺版图书凡印刷、装订错误可随时向承印厂调换）

谨以此书送给一直被生活怠慢的你：

那些你曾经害怕的、受辱的、拧巴的、困惑的和坚持的，

都将成为你驾驭生活的资本和勇气。

———林特特

篇首曲：倔强

词曲 / 阿信　演唱 / 五月天

当我和世界不一样
那就让我不一样
坚持对我来说就是以刚克刚
我如果对自己妥协
如果对自己说谎
即使别人原谅
我也不能原谅
最美的愿望一定最疯狂
我就是我自己的神
在我活的地方

我和我最后的倔强
握紧双手绝对不放
下一站是不是天堂
就算失望不能绝望
我和我骄傲的倔强
我在风中大声地唱
这一次为自己疯狂
就这一次，我和我的倔强

对爱我的人别紧张
我的固执很善良
我的手越肮脏
眼神越是发光
你不在乎我的过往
看到了我的翅膀
你说被火烧过
才能出现凤凰

逆风的方向
更适合飞翔
我不怕千万人阻挡
只怕自己投降

我和我最后的倔强
握紧双手绝对不放
下一站是不是天堂
就算失望不能绝望
我和我骄傲的倔强
我在风中大声地唱
这一次为自己疯狂
就这一次我和我的倔强

我和我最后的倔强
握紧双手绝对不放
下一站是不是天堂
就算失望不能绝望
我和我骄傲的倔强
我在风中大声地唱
这一次为自己疯狂
就这一次我和我的倔强
就这一次让我大声唱
啦啦啦……
就算失望，不能绝望
啦啦啦……
就这一次，我和我的倔强

目录
CONTENTS

讲故事的勇敢者

序

认识特特有七八年了，越来越喜欢她。因为她是我身边姑娘中最勇敢的一个——我是说，敢于在踏踏实实的生活里，让自己坚持去做梦的那一个。

很多时候，当我犹豫着要不要挑战自身的软弱或者怯懦时，我就会用那些发生在特特身上的事情来给自己加油打气。

经常看故事的人都知道，无论一个故事是真是假是虚是实，其中一定都会多多少少藏有作者的影子。只有像她这样真心勇敢的人，才能写出这样可以带给我们勇气的文字。

所以，当特特找到我，要我为这些青春故事补充一些心理学视角的解读，我自然是很开心地答应了。在我看来，讲道理，实在是要比讲故事容易得多，尤其是要讲出那些可以轻易贴近人们的内心、召唤出他们心底最真实感触的故事。

作为一名心理医生，工作中我实在见过太多特别懂道理，却又偏偏把自己的生活过得一团糟的人。他们有很多是年轻人，都渴望从我这里快速获得某种确保人生幸福的武功秘籍。于是，我只好一方面尽可能温柔地陪伴他们，另一方面又略带无情地把生活的真相逐渐呈现给他们，那就是：除了勇敢地面对人生的不堪，我们谁也没有什么捷径可以靠近幸福。

所以我一直都喜欢听故事，而不是讲道理。特特写的故事，真实，接地气，故事里的人物经历过迷惘和伤痛仍能绽放勇气，坚定生活信心，尤其让我喜爱。

我们也的确只有在拥有了勇气，稳定了情绪之后，才会有一个冷静又好使的头脑去听别人分析什么大道理。你别不信，最近脑神经科学的研究也证实了这一点：进入我们大脑的新鲜血液，总是先要给负责情绪的那部分脑区供氧，然后才会去滋养负责思维的另一部分脑区。这样看来，生活里常听有人说"我当时一生气就什么都不想了"，还是很有科学根据的。

所以呢，阅读这本书的时候，建议大家一定要先去细心阅读特特的好故事，享受故事带给你的温暖和勇气，然后再借着已经被温暖、被鼓励的精神状态，去看看我这个心理医生稍显啰唆的心理分析。当然，如果你们已经被这些故事疗愈了，后面这一步就大可免去。大好的青春，还是用来恋爱和生活吧！

最后给大家讲一个有关讲故事的故事。

我认识的一个姑娘，在我的极力推荐下，为了医治她那颗失恋的小心灵，报名参加了某个大师的团体治疗。大家第一次见面，当然是先来说说自己为什么会来到这里。第一个发言人说需要换肾，第二个发言人说被合伙人骗了钱，第三个发言人说儿子目前考虑变性……等到我说的这个姑娘发言时，她站起来，愣了愣，然后不好意思地说："我现在觉得不痛苦了，我觉得我应该走了，谢谢大家，谢谢！"

哈哈，我调皮了。

祝大家都找到属于自己的勇气，都过上自己所向往的生活。

这个过程一定不会特别顺利，也不一定特别快。

所幸，有特特的这本书，可以帮你把握一个大略的方向。

宫学萍

2014 年 10 月 31 日

北京

你并不孤独

自序

几年前，我在人生的幽暗期：刚毕业，梦想很大，才华自信也是有的，但现实束缚，总觉得没有出头之日。

于是，给报纸写稿，写自己的故事、朋友的故事、朋友的朋友的故事，及各式道听途说的故事。

一段时间内，只有看到报刊上印刷体我的笔名出现，我才会激动，"原来我还是有优点的"。凭这一点激动，我熬过上司的谩骂、对自己的各种不确定和刚出校门徘徊在社会边上时必经的不适应。

整理本书书稿，我如回顾那几年。

如回顾和朋友们一起走过的日子，我身边最亲密的人几乎都做过我故事的原型。当时当地，他们倾诉，我记录。不知道为什么，总相信我们的心声、经历很有代表性，一定会赢得共鸣。

我最喜欢在《中国青年报》青春热线版写这些故事。

因为编辑感兴趣，更因为，版面长期聚集一批优质的心理咨询师，会根据故事表达的核心问题提出解决办法，不夸张地说，我的很多烦恼因这些心理分析得以缓解、消释。

写《三十边上的恐慌》时，我即将三十岁。

青春的尾巴即将到来，而我一事无成，除了怨念，我还悲愤：上完学毕业都二十五岁了，再在这个城市安顿下来又是好几年，还没开始享受生活、规划人生呢，竟然已经三十！怎么办？如何办？

我发现恐慌的不止我，我周遭的同龄人均如无头苍蝇，忙啊忙啊又很茫。

我至今记得，收到样报，在办公桌上摊开，读到我的文章后的心理分析时我的震动：呵，原来根本不用怕，原来危机感未尝不是件好事，原来一个特定的时间节点恰恰可以提醒你盘点人生的库存，想清楚了，再起航。

这震动催促我急于结识该心理分析的作者，她后来成为我现实中的好朋友，即本书的点评人、心理咨询师宫学萍。

现在，写作本序的此刻，再过几天，我即将三十五岁。

把这些年同类的稿子归拢在一起，就能很清晰地看到自己某方面的成长轨迹。很多事已经过去了，很多当时看起来无法迈过的坎儿今天都能云淡风轻地提起，盘点这些稿件，就是盘点库存，会相信一切都是最好的安排。

再说说本书的意义吧。

据说五年是一个代沟，而本书适合比我小十岁的人阅读。

每代人都有每代人的烦恼，但在同一个人生阶段，在相似的大时代背景下，烦恼的核心基本相同。

当初，我们背起行囊从大学宿舍迁出，或扎根、或漂泊、或留守，在谋生、谋梦、谋各种爱的路上跌跌撞撞。我想说的是，都没事，你经历的是同龄人都正经历的，你经历的，我和我的朋友们都经历过——

你并不孤独。

感谢《中国青年报》青春热线版，没有你们，就没有本书。

感谢搭档宫学萍。

感谢编辑耿璟宗，没有你让我加的"特特说"版块，我不知道能否隔着岁月与那时的自己对话，这对话是强大自我致弱小自我的一封信，是岁月赐予一个人对自己慈悲的机会：你忽然发现，你向往的，大都得到，你害怕的，都过去了。未来，还有什么好怕的呢？

林特特

2014 年 10 月 30 日

北京天通苑

第一章

别害怕心中的理想

那些曾在我周围生活、和我一起奋斗，我看着他们奋斗的年轻人们，怀揣理想而来，经历不同境遇，或顺势而为，攻克障碍，或自暴自弃，众生相让我不得不总结并汲取经验——用化整为零的计划，以强悍神经、强执行力，先安身立命，再以梦为马。

别害怕心中的理想 >>

与低谷有关的心理游戏

故事壹 一把艺术人生的高脚凳

胡静动过自杀的念头。

那是 2009 年 3 月，在外企搏命的她一夜之间失去了工作也失去了恋人。

工作没啥好说，那段时间，每一天，那栋都市著名的写字楼里，电梯一打开就有人捧着纸箱垂头走出。而无论当时还是现在，胡静除了沮丧，并不觉得有什么好自责的。她曾是这家银行唯一一个连升七级的员工，她的生活照曾配发个人业绩介绍张贴在各个分行的光荣榜上——真的要怪，就只能怪金融风暴，时机不好吧。

倒是男朋友，让胡静颇为纠结了一段时间。

胡静离过一次婚，遇见男朋友王的时候，她离婚已有半年。情到浓时，王曾跪下来求胡静跟他走，他说他一天也离不开她，但他的事业在深圳。胡静"昏了头"，真的抛下一切来到深圳。出深圳站，王左手拉着胡静，右手提着行李，人山人海，他低声耳语："我会好好对你。"

一切都挺有希望的，不是吗？

不是。

刚失业那会儿，胡静不相信自己的运气这么糟，一个资深理财经理，会找不到工作？她每天都在找，出去找，在家找，看报纸找，上网找。

就是上网找，才发现了不对劲。

胡静看到王的聊天记录，和别的女人的聊天记录。

不只是网恋或出轨，王还有和女网友裸聊的癖好。

这像苍蝇横在胡静的喉头，她吐不出来，咽不下去。她质疑自己的眼光，直至智商，再接着，她和王分手了。

原来，再深情的面孔也会有变脸的那一刻。

两年感情化为乌有，还原成最纯粹的元角分的分割。无休止地吵，无休止地算账，王最后承认欠胡静四万块钱。但他搬走后，手机就关了，再打便是停机的消息。紧接着，胡静发现存折也被取空了。

失婚、失恋、失业，人财两失。

胡静又失声了。她跑医院跑到腿软，吃药打吊瓶，愣是说不出话，几次，她抓着头发想死，又几次克制住。

宅着静养，胡静没日没夜地看电视，直至迷上了《艺术人生》。

都说这个著名的谈话类节目，最著名处在于主持人每次都能把嘉宾弄哭。但弄哭背后，胡静却看到点别的。

比如，嘉宾要是真的没有那段痛苦回忆，他会哭吗？

比如，每个嘉宾都哭，是不是也意味着痛苦回忆的普遍性？

再比如，为什么嘉宾们在公开场合能高调起码不避讳地痛哭，台下的观众又能如此心安地看着他们哭呢？只因那些痛苦回忆已成过去，如今在台上痛哭的人已俨然是个成功者。在略带哀伤的回忆中，他们重温曾经以为走不过去的低谷，却真的走过去了，痛哭之余，还有些宽慰吧——我是自己的英雄。

胡静又想到《兄弟连》。

是啊，每一集开头，温斯特将军都在倾诉，故事本身就是以温斯特的回忆录形式展开的。你担心剧中所有人的结局，但你不担心温斯特，因为对于他，那段过去真的已经过去了，相反你还羡慕他有那样珍贵的经历。

胡静开始渴望有把高脚凳，像《艺术人生》里的那种。

或者有张书桌，在昏黄灯光下，她静静地写回忆录："那一年，我不可能更糟糕了……"结尾是"还好都过去了"或"我很感激那段经历，正是有那段经历，我才……我变得……"

这便成一个游戏。

每天，胡静起床洗脸时，总觉得万念俱灰。

但稍顷，脑子清醒，心情还有些沮丧，胡静便开始给自己做心理辅导。她幻想已是二十年后，坐在高脚凳上，光打在她的上方，她在舞台中央。四周是观众，她在倾诉。

她是个成功者，所以她哭，台下观众为她揪心，也发自内心地佩服。

这游戏突然拉开了胡静和烦恼现实的距离，游戏中，她想象着、酝酿着坐在高脚凳上要说的话，最能引起观众们钦佩，处理"那一年"矛盾的方法。

"工作不好找，我就握着简历一家一家去敲门。我甚至放弃曾有的职位期待，从最基层做起。"——两周后，胡静真的握着简历一家一家锲而不舍去找工作了。

"家人对我很重要，我很佩服自己自始至终没透露半个字给他们听。"——胡静恢复打电话给父母的习惯，听到他们的声音，她的心安定了很多。

"经历这么多事，我庆幸我还相信爱情，所以我才遇到后来的先生。"——胡静穿上鲜艳衣服，薄施脂粉，和这城市不多的朋友们聚会，再发展越来越多的朋友，她甚至去交友网站注册。她不知道游戏中的想象能不能实现，但起码在实现的路上吧。

……

有一天，胡静读报纸，在一桩轰轰烈烈的新闻里，主人公对记者说："二十年后，这不过是人生的一朵小浪花。"

胡静想笑，想到她的心理游戏——是啊，二十年后，她想象坐在二十年后的高脚凳上告诉现在的自己，你熬得过去，你一定能熬过去的。

然后，她真的熬过去了。

故事贰　你手中的西窗

辛觉发现那张纸条纯属偶然。

他在出版社做编辑，那天一上班就看到校对公司校完又返回的书稿。

翻至第 74 页，辛觉突然发现接下来的这张稿纸与该书稿无关，他挑出来，搁在一边，再一看，停住了。

这张 A4 纸的正面是某张废弃的稿子，几行铅字，剩下的是大幅的图，留白处颇多。而正是留白处隐隐渗着背面蓝黑墨水的字迹。

辛觉便翻过来看。

稿纸背面写着：

"拿到本科证，两年。"

"考研，三年。三年考不上就读在职研。"

这是学业。

"校对，好校对，差错率努力到零。"

"拿到本科证，图书公司应聘编辑。"

"拿到硕士证，正规出版社应聘编辑。"

这是职业。

"存钱、存钱、存钱，学习、学习、学习，存够学费！"

这是经济。

"地下室怎么了？这次租的已经有窗户了，比刚来时好多了。"

这是现阶段。

"毕业一年多，来北京也有半年了……不能总保持阴沉的心情，看到比自己小很多的姑娘们都做了那么多事，吃了那么多苦，我这又算得了什么。这里有这么多知识要学，有那么多书可以看，改变一下吧，别让自己那么不快乐。"

这是自我激励和安慰。

"用五年改变自己。"
这是总结和计划。

辛觉先是愕然，继而会心一笑，再灵机一动，拿着这张 A4 纸，与书稿上校对的笔迹一一核对。

没错，一定是校对公司的校对写的，又不小心夹在书稿里了！

如果真的是个校对，辛觉大概知道她现在的状况——大专毕业、北漂，住地下室，拿一千多元的工资，辛觉清楚那间校对公司的待遇。

辛觉再拿起纸条端详。

嗯，这姑娘看来曾"阴沉"过一段时间，现阶段最大的目标是去正规出版社当编辑——她想了那么多，写到这儿终于戛然而止。为了这个目标，她逐条写出接近目标的策略，从学历到转行到换工作的步骤，包括现阶段能做什么，看哪些书。

辛觉有点想笑，笑这姑娘要是知道这么私密的心灵计划给一个陌生人看到，该多么尴尬啊，想完，辛觉又有点想哭。

办公室没有别人，他点一支烟，想到他的纸条。

其实他很熟悉这种纸条，写在某张纸的背面，不敢或不想拿一张正式的纸，因为它太私密，只想写给自己看。

他还记得他写纸条的日子。

那时，水产大学毕业，在水族馆上班，他以为这辈子就这样完了。可他很清楚，喜欢做和文字有关的工作，于是猫在值班室看考研书，报考最著名大学的中文专业，他对自己说，别痴心妄想了，说着说着又在草稿纸上顺手写些什么，无数次顺手。

一直以来，辛觉以为这是他才知道的心理游戏。想超越现实，列出一个最想达到的目标，研究极卑微的自己和目标的距离，给自己一个耐力能撑到的时限，再给出一个看起来能操作的计划，计划详细倒推至我现在要做什么。

不过这种心理游戏已经久违，自从在这城市扎下根，有份稳定体面的工作，又有些年头了，辛觉已经麻木，他近乎忘记，他曾经为理想奋斗过。

工作总是重复而繁琐，每天一睁眼就欠单位四万字的看稿量。收入永远不够买房的，选题过不了，领导不重视，同事使绊子，同学总是比他进步快。

干了喜欢的工作也未必心情舒畅，辛觉越来越清楚地感觉到自己日渐消沉。他现在似乎被一把钝刀子割，钝刀子是惰性，也是环境，还有各种远离核心、骚扰核心的纠纷，核心便是他最想干最该干的事。

手中这张纸条，让辛觉拿起笔。

他一个一个列目标，数他和目标的距离，倒推今年我要做什么，这个月我要做什么，此刻我要做什么。

"我要做个好编辑。"

"我该关注市场，做几个好选题。"

"我要跳到更适合我发展的社。"

"我要写一直想写的小说。"

"我要健身。"

"我要读书。"

……

辛觉的心里突然有了谱。年少时常玩的"目标、距离、做什么"的心理游戏让他精神焕发起来。

其实就是这么简单，即使到了低谷，你能想到的你的巅峰只要不是幻想，和该低谷的距离也能明确计算出。剩下的就是怎么完成了。

　　半年后的一天，一个同事对他说："他妈的，辛觉，我做什么都没劲，真不知道成天忙忙碌碌浑浑噩噩究竟有什么意思。"

　　辛觉正在收拾抽屉，他想起那张 A4 纸的纸条，便拿给同事看。

　　同事不明白他的目的。

　　辛觉没提"目标、距离、做什么"，说的是这些日子来他玩的另一个心理游戏。

　　"有一天，我突然觉得不该再沮丧，我有使不完的劲。当时 MP3 里许巍在唱歌，'那一年，你正年轻。总觉得明天肯定会很美，那理想世界就像一道光芒，在你心里闪耀着……'"

　　"我一下想到了这张纸条，写纸条的小姑娘最想达到的目标不过是你我今天所拥有的。其实我和她一样渴望过，只是日子久了就忘了。"

　　"李商说'何当共剪西窗竹，却话巴山夜雨时'，如果你不断提醒自己，五年前你想变成什么样，现在，你的心里就会很平静。那时我想达到的'西窗'不过就是今天的拥有，我很满足。那么你今天想达到的一切呢？只要你还活在'那一年'，就都会达到。"

心理师点评 >>>

为什么刚刚出生的小婴儿会在饥饿的时刻哭闹不止，而我们这些成年人就不会？因为我们很清楚，等到手上的事儿完成，立刻就可以去填饱肚子。

小婴儿就没有这个能力。他们甚至不知道，自己正在经历的这种貌似排山倒海的痛苦，仅仅就是"饥饿"，也就更加不知道要对付它其实十分容易，吸几口奶就没事了。所以，每当饥饿的感觉降临，他们除了表现极度不安之外，就不能再去做任何事情来安抚自己的焦躁。因此，有一部分心理学家相信（以客体关系学派的克莱因为代表）：婴儿由于无法"理解"自己身上正在经历的事情，所以时常处在一种强烈的毁灭感的恐惧之中。

但是还好，他们都有妈妈。不用太长时间，他们就学会安心等待妈妈解开胸前的扣子（或者冲调好香甜的牛奶）——此时的他们，至少在"饥饿"这件事情上，已经具备了一定的耐受能力。

而其中关键，是他们的心智已经发展到可以"预计"饥饿的痛苦即将过去。

因此，当我们确定地知道，自己眼下正在经历的痛苦，即将在未来可以确定地终结，那么此时此刻的痛苦，就十分不可思议地变得似乎"不那么"痛苦，就可以被忍受——这就是故事中胡静在经历人生低谷时和自己玩的心理游戏的基本原理：在"未来镇静自若的自己"和"此刻抑郁低落的自己"之间划一道时空的界限，用一个过来人的眼光看待现在一时不知如何是好的自己，安慰自己，鼓励自己，陪伴自己。

可以说，绝大多数遭遇负性生活事件，情绪低落至无法自拔的人们，就好像一个因为肚子饿而焦躁不安的小宝宝，过度沉浸在当时的痛苦之中，甚至忘记了其实自己还有很长很远的未来。或者说，当灾难化的非理性思维出现之时，即使有外人提醒他们去想想未来，当事人也会极端消极地将它预计为一团乌黑。

这团乌黑，我们通常叫作"绝望"。

所以，每每绝望前来拜访的时候，我们也许可以考虑借鉴资源取向治疗师常用的一个小方法——在时间轴上反过来，到曾经发生过类似事件的时光之中去找答案，努力发现支持当时的自己咬紧牙关不放弃的事物有哪些，方法是什么，看看换在今天它们能不能同样适用。

志向远大的啃老族

故事叁 给我一块面包，还你一棵面包树

小原辞职将近一年半。

此前，他在某大型网站当编辑，年收入十万有余，常加班，节假日是最忙的时候。小原辞职，对外宣称是工作久了有点烦有点累，想放个大假好好休息，但真实的原因则不然。

小原文笔好，虽然本科和硕士阶段，他学的都是化学专业，但大学时代他就勤奋写作。起初，他在网上自顾自地写，后来粉丝越来越多，每天都有无数人在电脑那端期待"下一段"，小原信心大增。等到读研时，小原的网络小说终于得到出版社的注意，当别的同学业余时间花在电脑上看小说，小原已边捧着自己的第一本书，闻着墨香，边敲击键盘创作下一部了。

走出象牙塔，走向各式招聘会，同学们拿着毕业证就位本专业的各种职位，小原却背着行囊来到了北京。他热爱文字，想找份和文字相关的工作，几经周折，权衡利弊，他去了那家大型网站。

北京是个寻梦和让梦实现的好地方。

小原的工作要接触形形色色的名人。他发现名人私下里也很普通，而很多名人之所以成名都源于一个很小的契机，但成名背后，契机之前他们却有着异乎常人的对理想的坚持。

"我的理想呢？我该不该坚持呢？"加班到夜深，小原靠窗抽一根烟，想起了遥远的梦。

他想起他的第一本小说，封面上晚霞一样的绯红色。那时，捧着新书，小原一度以为他的文学梦已经实现了，知足了。但现在，眼界宽了，思考问题的方式不一样了，小原越来越觉得，他的梦不仅是出一本书，他还热爱文学，他的潜力不止于此，他要做的只是坚持到底。

日复一日的辛苦工作，精神和肉体双向透支，成为小原写作的最大障碍。

又一个夜班结束，已是凌晨，小原走在大街上，看零落灯光与闪烁星光遥相呼应，不知为什么，他颓然坐在马路边，稍顷，号啕大哭。

第二天，小原辞了职。部门主编让他给个理由，"我不能眼看着热情逐渐消逝却无能为力"。小原的话没人听懂，他索性又编个大家都能明白的，"太累了，想放个假"。

这以后，小原闭门谢客，全心写作。

过去收入高，消费也高，小原并无太多积蓄；而京城不易居，离开京城，又会失去文化氛围。小原咬咬牙，从城中心搬到五环外；从租两居换成租一居；从待在星巴克听着音乐敲电脑，到终日蜗居在家啃着方便面写作，就是不肯回老家。

坐吃山空，钱很快就花完了。

在老家的父母起初不知道小原辞职的事，但好几次，小原往家里打电话，都是上班时间；更何况让父母寄点啥来，最关键是寄钱，小原留的地址一看就是民宅，而非之前的单位。

纸包不住火。

当老师的妈妈、做公务员的爸爸对于小原擅自辞职，丢掉一份稳定工作，去搞什么文学，简直又吃惊又愤怒。他们来了一趟北京，勒令小原"马上！"（爸爸语），"立刻！"（妈妈补充），"迅速！"（爸爸又强调），"出去找工作！"（爸爸妈妈异口同声说），或者跟他们回老家，考个公务员，要不托人进个什么事业单位，"总之不能再任由你胡闹下去"。

这一刻，小原人在父母面前低头认错，他的心却还飘在进行了一半的小说里——

男主人公的对白，女主人公的反应，下面的情节怎样在情理之中，又在意料之外呢？他想着想着出了神。

小原的无声被误认为反抗，引起了妈妈的注意。她想起小原十几岁时早恋遭到家人反对，也是这样无声，之后，小原离家出走半个月——那种心力交瘁的感觉，她没齿难忘。爸妈对了一下眼神，决定智取。

爸妈请小原吃了顿好的，又留下一万块钱。他们带走的是小原的保证——写作期间父母承担所有生活费用，但写完就要听"大人"安排。

小原诚恳地对爸妈说："你们放心，我会成名的。你们给我一块面包，我就能实现理想，还你们一棵面包树！"

写啊，写啊，写啊。

一万块钱，又一万块钱，又一万块钱。

小原重新坐回星巴克，边听音乐，边敲电脑，灵感如水银泻地，叮叮咚咚在脑海，在指尖发出悦耳的声音。

快过年了，小原回到老家。

他从火车站打车到家门口，车停，他一掏钱包，却发现钱不够，于是打电话给爸爸。

爸爸下来接他，并付账给的哥。上楼时，爸爸意味深长地对小原说："等你到我这个年纪，还要在深夜跑下楼，给儿子送打车费，不知道你会怎么想。"

爸爸掏钥匙开门，小原跟在身后，看见爸爸微弯的背，有些心痛。

他本来有个好消息想告诉爸爸的，可现在根本说不出口。他想说："有业内人士看了我的小说，建议我再花点时间改成剧本，一定能红……"

故事肆　何处是归程

周鹏爱喝茶。

去年，朋友张回国，不知收了谁一盒好茶，见到周鹏时，又把茶转送给他。

两筒铁观音被黄色锦缎包裹，装在精美的茶叶盒里。周鹏打开盒盖，小心取出，再拆开其中一个小小茶叶袋，水开，沏茶，茶香里，周鹏靠在沙发上，第一千次回忆起他和张的留学生涯。

那时，意气风发。

顺利考托福，顺利办签证，顺利申请奖学金，其实只要关乎学业，周鹏就一直比别人运气好。他还记得，踏在异国校园的土地上，脚步匆匆，落叶沙沙，每一声"沙沙"都好似极轻微的呐喊——"前程似锦""前程似锦"。

和许多留学生不同，从一开始，周鹏就没打算回国。

骄傲的他做惯榜样，在众人的羡慕眼光中，冲向一个又一个高峰。他又好强，家族里唯一能和他一较高低的只有表哥。表哥比他长一岁，高一届，高考，表哥考了 555 分，他当时就拍着胸脯对妈妈说："等着明年我考个 666 分。"第二年，周鹏果真考了 666 分。后来表哥做了本地的公务员，周鹏又暗暗发誓，怎么着也要考个国家公务员。

但表哥很快觉得铁饭碗没意思，准备出国。周鹏比表哥申请得晚，却比表哥出国早，在表哥一遍遍被大使馆打击时，周鹏已身在异国，并准备一直留在异国。

只是，中国学生拿手的是考试。

周鹏学的是设计，找工作时，黑压压一屋子人一齐参加面试。每个人当场举起自己的设计作品，解释、分析、论证好在哪里，新在哪里；这阵势，这方式，周鹏不是当地学生的对手。

好运气似乎只和学业有关。

周鹏选择继续读书，等他终于决定回国，已扛着两个硕士学位。一个博士学位。这时，当初一起入学，没放弃找工作的朋友张已在一家大公司干得风生水起。

好运气真的只和学业有关。

在国内，工作也不好找。这些年，周鹏只是读书，两耳不闻窗外事，长期在国外，对中国人特有的复杂人事关系，周鹏完全不知该怎么应付。除了工作，国内的环境也让周鹏觉得不知所措，哪怕过马路时大家的横冲直撞，也让他心生厌恶，唉声叹气。

回国六七年了，周鹏出去找过几次工作，每次工作都不超过三个月。

他常失眠，不怎么出门，出门时，他深陷的眼窝，眼眶四周深棕色的皮肤总让四邻感到吃惊，这还是那个意气风发的周鹏吗？

对他最失望的莫过于父母。

在国外那些年，虽然也打些零工，但大部分钱是父母资助的。回国这么久，周鹏不抽烟不喝酒不恋爱不结婚，只好喝口茶，虽说花费少，但说起来还是父母养着。

经济方面是次要的，精神上呢？周鹏眼看快四十了，未来在哪里，他不知道，父母更不知道。父亲一度叹着气对周鹏说："好在家里还有几处房子，以后你靠吃房租也能过日子。"周鹏本来就很敏感，听见父亲这么说就更火大，他说："我一个高才生难道要靠房租养活自己吗？"父亲看他一眼，想说什么，却被母亲拦住了。

　　周鹏不敏感、不火大时，对父母也曾心怀愧疚。他不止一次对父亲说："等朋友张回国办公司，就是我大显身手的时候，你看上次、上上次，张回来和我聊天，还说让我观察一下国内业内的动态呢。"

　　那确实是朋友张说过的话，但张认真说时，已是十多年前刚毕业，找工作时；此后再说，张已大多是敷衍周鹏，更多是安慰。周鹏又用来敷衍、安慰父亲。

　　说不清究竟为了敷衍和安慰谁，周鹏总装得煞有其事，此后，每日一起床，他就打开电脑，关注业内新闻，关注行业环境，隔三岔五给朋友张发邮件，一旦得到回信，就欣喜若狂。

　　张送的茶叶，包装盒精美极了。茶叶拿出来了，周鹏还特地嘱咐母亲，别扔盒子。

　　盒子的大小正好，可以放下各类证书。比如，四六级证、本科证、硕士证、博士证。还有留学异国时，周鹏和朋友赵、钱、孙、李，还有张的照片。

心理师点评 >>>

理想是个好东西，尤其是对于朝气蓬勃的年轻人来说。

唯一遗憾的是，几乎我们每个人都会遭遇到现实对于理想的一些干扰。

首当其冲的，就是如何生计。

所以，心怀梦想的人们，日子总是要比安于现状的另一些人，过得辛苦和劳碌。所以，有很多当初被现实教训过的"成年人"，痛定思痛之后，就调转身来否定理想之于人生的意义，喜欢操着一副见多识广的口吻，教训身后的一群年轻人不知天高地厚。

果真这么无奈？

理想一定会被现实践踏得粉身碎骨吗？

不是啊！

在平凡岁月的磨砺之下，我们渐渐会领悟到——原来，那些可以在现实中开花结果的伟大理想，不管最开始我们憧憬它的时候看起来多么辉煌壮丽，实际上也都是由一系列微乎其微的细碎部分组合而成；想要实现它，也都需要我们去经历一个漫长且常常是无人鼓掌的孤寂过程。

幸运的是，虽然理想总是很大很大，可我们的一生也着实很长很长。我们一天有 24 个小时，在每一个具体的时间点之上，我们都可以结合个人的实际情况，自行决定把接下来的一个小时或者三个小时，具体划分给理想还是现实。

就像故事中心怀文学梦的小原，如果看到父母年事已高于心不忍，不妨就先把饭碗的事情解决了，让老人家安心，自己也落得个耳边清净。接下来，再去认真统筹，安排自己的工作和生活，在每一天的时间里，去努力发现可以留给理想的空隙。

生活中总是有些人，喜欢罗列现实条件的种种不足，以证明自己"永远无法追上理想"；另外还有一些人，总是借口"我要寻找梦想"，拒绝承担现实生活中自己应该担负的责任。这些坚持要把"理想"设计得"太过理想"的人士，从头到尾都是自顾自地编故事，欺骗别人的同时糊弄自己。

不客气地说，他们还是不敢面对自己内心中那些十分幼稚的地方——或者是懒惰，以为运气果真可以好到一蹴而就；或者是胆怯，害怕努力以后依然会失败，不想面对原来是自己的能力有限的现实。总之，跟追求理想，没半毛钱关系。

毕业七年：交一份后学生时代的成绩单

社会就像一台显微镜，把学校里人和人的细微差别，瞬间放大了无数倍。

有人在学生时代并不出众，可进入社会之后却崭露头角；有人在学校里很优秀，但在职场中的发展却不那么顺利；也有人毕业后抱着"金饭碗"暗自庆幸，却始终徘徊在起点，碌碌无为。

为什么在学校里大家都差不多，进入社会以后，境遇差别会越来越大呢？除了自身努力之外，会不会还有一些其他的原因，影响着我们的生命轨迹？

七年前的七月二日，A 市某大学 21 号楼 308 室一片喧哗。宿舍里满是大包小包，被褥裹成卷，脸盆套脸盆、衣架叠衣架。

谭小朵、齐小蕾、王小蓓正依依惜别。

四年来，她们三个是最亲密的朋友，临近分别，所有温暖的记忆如潮水般涌现，化作散伙饭上的泪如雨倾。

三个姑娘对自己的未来都有清晰的打算——谭小朵备战考研，齐小蕾去英国留学，王小蓓将在一家杂志社工作。

转眼七年。

同校同系同室，她们从同一起点出发，如今，境遇却不尽相同。

故事伍　人生无从安排

毕业后，谭小朵没找工作。

大学时代，她是班长，大部分时间花在各种活动上，谈恋爱后，心又被男友瓜分了大半。如果说，四年来，谭小朵最大的收获是什么，她会自豪地告诉你，一群好朋友，一份纯真的爱情。

谭小朵的专业是中文。

大小考试，临时抱佛脚，专业课一直难不倒她。但英语讲究的是长线功夫，所以直至大四，谭小朵的四级也没过，更别说考研过线了。再接着公务员考试，谭小朵做了分母，但男友刘泉超水平发挥，于千万人中脱颖而出，高中上海某热门部门的热门职位。

这时，找工作已到白热化阶段，刘泉建议谭小朵干脆别工作，来年考去上海，谭小朵思来想去，决定接受刘泉的建议。机场安检处，刘泉挥手喊："小朵！我等着你啊！"谭小朵的眼角有些湿。

全职考研，时间很满，心里却很虚。

谭小朵每次去母校上自习，进校门时，头皮都会硬几秒——怕门卫抽查学生证；看书时，她会情不自禁地想，要是考不上该怎么办？她的精神压力越来越大。

来年的考试，谭小朵再次落榜了。她原以为刘泉会安慰她，刘泉却吞吐着："处长很器重我，给我介绍了他的侄女……"

失业、失学、失恋，谭小朵几近崩溃，她觉得自己一无是处，从能力到眼光。

她出去走走，整个 A 市都让她想到和刘泉在一起的日子；她想去上海，问个明白，又怕自取其辱；她想工作，但最好的就业时机已错过，她每天都在查招聘信息，却一无所获。直至有一天，父亲对她说，有个老朋友在广州开公司，缺个做人事工作的。

谭小朵坐上南下的火车。这一去，客舍似家家似寄。

异乡的夜总是难挨,谭小朵习惯用加班打发多余的时间和精力,更何况心底有个声音总轻轻说:"一定要给爸爸争气。""一定要做些事让我觉得自己不是太糟糕。"

从一无所知到熟悉人事工作,考取人力资源的各种相关证书,再到离开父亲朋友的公司,去更好的单位,谭小朵只用了两年。

谭小朵还在广州的一所大学读了人力资源专业的在职研究生。换了三家公司,职位越换越高。这时的谭小朵,向前来咨询的新同事熟练讲解各种保险和福利时,已俨然业内资深人士。

谭小朵不再是那个傻呵呵抱着文艺学课本,第一时间跑到阶梯教室为男友占座的单纯女孩了。有时,想到曾经的爱情和对生活的想法,她会觉得那时的她和现在的她完全是两个人。

谭小朵蜜月旅行时,上海是其中一站。

那晚,漫步外滩,微风徐来,新婚夫妇把臂同行。谭小朵突然感慨:大四之前,我一直以为我会在 A 市生活一辈子。后来追风考研、考公务员,男朋友也去了上海,我又以为,我的人生将在上海重新开始。没想到,一个人做什么工作,在哪个城市生活,和谁结婚,都和最初想象的不一样。我们的人生不过是一个又一个偶然的组合,无从安排。有时我甚至清楚地感觉身后有一只命运的手把我往前推，我抗拒不了命运，唯一能做的是顺其势，尽全力。

故事陆　"决定"决定了生活

齐小蕾是富家女。

大学时代，她的吃穿用度非常大。常常她一亮相，便引起围观。大四时，别人为就业、升学急得焦头烂额，她却悠闲自得——路，早就铺好了，她要去英国留学了。

一年学语言，一年读硕士，回国后，齐小蕾又被安排到父亲的公司上班。父亲让她从文员做起，但公司重要的事情，如出国办个推介活动啊，和老外谈判啊，父亲总要把齐小蕾带在身边。

起初新鲜，久而久之，齐小蕾便有些厌倦。

她的专业是中文，可父亲做的生意却是服装，来往的人张嘴闭嘴不是贸易就是汇率，她觉得毫无意思，对工作内容不感兴趣，认为工作环境也没啥吸引力。比如，人人都知道齐小蕾是"皇太女"，她一进办公室，众人就从八卦闲扯迅速转变为勤奋卖力工作——同事们累，齐小蕾也累。自始至终，她都觉得孤独，在公司，她没有朋友。

偶尔，齐小蕾会怀念大四在某中学实习时的点点滴滴。

那时，齐小蕾的课讲得生动活泼，课堂上此起彼伏的笑声总让她的心飞扬到最高点。较之现在冷气十足的办公室，紧紧裹着腿的薄丝袜，贴满标识的文件夹，学生们争相回答提问时"老师，老师！"的呼喊，一个比一个举得高的手臂更让齐小蕾觉得有吸引力，起码有人气啊。

一日，齐小蕾参与公司在人才市场的招聘。

快要收摊时，齐小蕾四处转转，无意间发现某双语学校在招教师。齐小蕾心一动，回到本公司摊位时，同事们见到她来，习惯性急忙收声，埋头做事，这让齐小蕾又坚定了自己的想法。

连夜写简历，第二天，齐小蕾将简历投给了某双语学校。

该学校不缺语文老师，但齐小蕾的留学经历被他们看中，接着便是面试、试讲、正式聘用。

对于齐小蕾来说，一切都像做梦。

纸包不住火，齐爸爸拿到齐小蕾的辞职报告时，大声斥责齐小蕾"胡闹"，"你在那里也干不了几天！""你辜负了我的栽培！"齐小蕾的情绪被齐爸爸的怒气煽动，她一急，索性喊道："你是栽培我，但你从来不问我乐意不乐意，从来不管我想要什么样的工作和生活！"

齐小蕾和某双语学校签了三年约，仿佛与父亲"也干不了几天"赌气。三年之后，她又续签了。

齐小蕾捧回当地"教坛新星"证书时，回到家里，满面春风。齐爸爸轻哼一声，表示："这又有什么用？"直至，一次，齐爸爸与客户吃饭，随意聊些家常。客户突然发现齐小蕾就是自己孩子的老师，对齐爸爸肃然起敬，对齐小蕾赞不绝口，齐爸爸颇有些自得。那晚，他对齐小蕾说，"以后爸爸不说你辜负我的栽培了"，齐小蕾刚备完课，她冲父亲一笑，"一个人的决定决定她的生活，我这辈子只为自己做过一次主，幸运的是，我做对了"。

故事柒 我始终在起点

七年来，王小蓓没挪过窝，自然，这窝在外人眼里是个好窝。

毕业时，王小蓓被视为幸运儿，万金油专业、外地、女生，竟签约一个对口的杂志社，不但解决了户口，还解决了事业编制。"说不定还能分房呢！"大家纷纷表示羡慕。

王小蓓满心欢喜去上班，工作很快就上手了。每天就是泡杯茶，主任给她一摞稿，她就看那摞稿，闲来无事，她上网看八卦，在某论坛做坛主，她觉得这样的工作真叫"享清福"。

同学聚会，王小蓓总有意无意透露出事业单位的自豪与安心，仿佛整个社会在竞争，偏偏与她无关；大家一谈起薪酬，王小蓓就更得意了，她所在的杂志社挂靠某实权部门，福利、待遇比同期毕业的同学高出好几个档次。

好单位让王小蓓保持着优越感。

但渐渐地，她发觉当初毕业时工作不怎么好的同学，反而有股冲劲，有人跳槽了，有人转行了，有人获奖了，有人升职了。倒是她的生活毫无变化，这让她的优越感如旧家具上的油漆日渐斑驳。

即便在同单位，王小蓓也觉得她有点跟不上了。

同样做编辑，一起去的同事中，林森已开始独立策划选题。一开始，选题会上林森被打击得头破血流，王小蓓有些想笑：钱不多拿一分，还要动许多脑筋做策划，这回被否定了吧？丢人了吧？可一次、两次、三四次，林森策划并撰写的专题终于上了封面，王小蓓心里又有些不舒服了。

同样做编辑，比王小蓓晚一年进单位的陆露一边编稿，一边写稿。"不就想多挣点稿费吗？"王小蓓暗暗嘲笑，可那天她在报刊亭随手翻翻，就看到好几本杂志上都有陆露的笔名，心里又有点嫉妒，有点惊讶——怎么人人都在折腾啊！

几年了，王小蓓的日子和刚来杂志社时一样。不同的是，今年杂志社事业转企业，精简人员，重组机构，一时间人人自危。

空降了一个新领导，新领导提拔林森做了新编辑室主任。

陆露辞职了，跳槽去一家业内著名的杂志社。

王小蓓有些茫然，昔日的优越感、安全感，被一次改制摧毁得烟消云散。而新领导话里话外，都让她心慌，是啊，领导当然希望有个又能采、又能写、又能编的多面手。

王小蓓想起几年前同事刘姐劝她的话："小蓓啊，你要有危机意识。""无论在什么地方，不做核心业务，都永无出头之日。"

当时，刘姐意味深长地说，王小蓓却觉得她瞎操心，她充耳不闻，过她的小日子，这一刻却惆怅了——她的起点比一般人都好，但她一直没跑，几年了，人人都跑出去老远，只有她还在原点。

心理师点评 >>>

当代心理学界的多项调查研究发现，现绝大多数我们认为"足以影响整个人生"的特殊事件，实际上对于当事人整体生活幸福感所产生的作用，通常在事件发生的两三个月后，基本上就消散得无影无踪了。

甚至于，像重大疾病、丧偶这样的"重大打击"，对于大部分和你我一样的常人，都可以在事件发生之后大约半年以内的时间里逐渐恢复。最终大家的生活，兜兜转转，大多又会回到原来状态之上。

然后我们再来谈毕业这个话题——年轻时，我们常常会高估某一个所谓"人生转折点"的实际影响力，误以为那些在毕业时刻让我们羡慕不已的"幸运儿"（比如顺利出国，比如拿到某牛企的 OFFER，比如嫁给某个高帅富），果真就会一辈子活在王子公主般美好的童话世界之中。

不过，生活与童话之间最大的不同，就是时光永远不会在生活中停止，它不急不缓地流淌。我们的人生，也不会随着任何一次"大事件"的如期（或者意外）光临而定格不动。就好像故事里三个女孩毕业后七年里，谭小朵不会因为她的白马王子的背叛而变成"人生的失败者"一蹶不振，齐小蕾也没有因为抗争家族的安排就永远被父亲视作"不肖子孙"，就连目前似乎原地不动的王小蓓，其实也可以随时选择自己是否要结束当下的恍惚状态。

近些年来，西方哲学的现象学流派逐渐被越来越多的大众接纳，其中一个重要的观点就是——这个世界并不存在简单的线性因果关系，每一个事件的发生，都是围绕在它周围的许许多多不同因素共同作用的结果。因此，对于任何一个"结果"而言，也并不存在一个"重要因素"的重要性，大到可以被视作所谓的"根本原因"。

同样，毕业时候，我们常常以为自己做出的某个决定"极其重要"，但事实上只是我们"以为"它们极其重要。

看看天空中那可爱的太阳，每天它都会从东方的地平线上冉冉升起，却从来不曾关心今天是不是你我的毕业日。我们的生活，实际上是由一个又一个接连不断的 24 小时组合而成。从构建生命质量的角度而言，我们的每一天都很重要，又都不是那么重要。简而言之，生活中没那么多重大的转折点，更多的是一系列细微细碎的作用点。

特特说：那些怀揣理想的年轻人

胡静又升职了，每个假日都在世界各地玩儿，她的靓照在 qq 空间中频频晒出，仍然单身，看起来精神饱满，永怀期待。

她的每一步如演员熟读剧本，一招一式照着演，前方虽硝烟弥漫，但你知道这是特效，本子里写了：英雄一定会来救美。

这种思维方式，与我不谋而合。

我是学历史的。历史及大历史告诉我，一切都会过去，一切都会到来。我们不能决定会发生什么，唯一能决定的是我们应对突发事件的态度。

战争、灾难、变故随时可能发生，如果不坚强，史书中那些疯的、自杀的、被奴役的就会是你；为了避免那一天的可能到来，为了避免在街边烂掉、一蹶不振倒下的悲剧重演，生活中的小挫折何妨当一次练手的机会？

胡静说，学会做自己温柔的妈妈。

她让我用长者或过来人的姿势和小小的自己对话，宠爱并试着安抚。真有趣，这游戏，我试了，有效，而且会上瘾，专门应付各种难关。

A4 纸上小姑娘的字迹在我脑海至今清晰。

辛觉把那张纸保存得很好，他拿给我看时，是从书架上抽出一本书，书中折着它；速度之快，抽书之准，让我相信辛觉视它之重。

辛觉教我列计划，他的小本子我见识过，密密麻麻，每一天要做什么事，旁边标着优先级，在旁边打着勾或叉。他说，一天不完成所列的事，就睡不着觉，每天完成一些，就离目标越近，目标是什么，他没说。我想，不好说，心中有为之努力、化整为零，分散在每一天中的就是理想，不是空想。

爱空想的小原务实多了，女朋友把他甩了后，他没了经济来源，既羞且痛，赶紧找工作。他毕竟有才气，才气落在实处，总会开花结果。他跳了几次槽，现在是一家影视公司的中层，他已结婚，有了孩子，嗷嗷待哺的娃让他不得不奋斗。

让我欣喜的是他调整了方向。

他辞职一年写就的小说并不畅销，言谈中，我却发现他已学会消解这种怅然。他说，以自己现在的职位、从业经历，更具优势的事是发现、扶植文学新秀，做他们的经纪人。

祝他成功。

那天，我们在北京东城的一家茶馆喝茶。

小原忽然说："其实才华、学历、知识水平都只是一个系数，就像美貌之于女人。"

我知道他的意思，提及浑浑噩噩那一年，我委婉地把周鹏的故事告诉了他。"系数就是让你在想走的路上前进得更快，可如果你连走都不走，是不可能前进的。"他是说自己呢，还是其他？

小原建议叫周鹏一起来喝茶。我拨通周鹏妹妹的电话，她沉吟着，"哥哥现在在安定医院"，我们都沉默了——安定医院，北京的精神病医院。

更多人消失在茫茫人海，不知下落。

那些曾在我周围生活、和我一起奋斗，我看着他们奋斗的年轻人，怀揣理想而来，经历不同境遇，或顺势而为，或攻克障碍，或自暴自弃，众生相让我不得不总结并汲取经验——用化整为零的计划，以强悍神经、强执行力，先安身立命，再以梦为马。

第二章

别害怕暂时的迷茫

合乎年纪的,恰到好处的迷茫有种特有的稚嫩、生涩味儿,如毛茸茸的脸蛋、几粒无伤大雅的青春痘,像青橄榄;但迷茫一直持续,因迷茫变成人生的坎儿,你只趴在这个坎儿上看世界,就只能感受其中的负能量,不值当了。

别害怕暂时的迷茫 >>

到哪里去找完美工作

故事捌　频繁跳槽今后怎么办

周末在家，李勤勤整理书柜。她找到自己所有的劳动合同，摆在一起，发现每一次的离职时间总是早于合同到期的日子。

想当年，李勤勤刚毕业，顺利入职一家拍卖公司。散伙饭上，老师、系领导举杯祝她将来成为最优秀的拍卖师，辅导员边和她碰杯，边握拳作敲拍卖槌状。日后聚会，辅导员仍敲桌子："我原以为你会一直……"李勤勤只能笑着打哈哈。

为什么从拍卖公司离职？李勤勤这样解释："没想到这么时髦的行业，竟是旧时学徒制的操作方式。"

那家以经营古书画为主的拍卖公司，拍卖师就是经理本人。

怕被夺权，他不让员工报考拍卖师，李勤勤敲拍卖槌的梦在上班第一天就碎了。那就学古书画鉴定吧，她及时改变方向，然而，在拍卖公司上班的这一年，李勤勤做得最熟练、学到最多的就是如何将卷轴卷得又快又好。

在这里，她的每一天都是一样的：跟着师傅接待送货上门的各路文物贩子、收藏者及自以为发现传家宝的普通人。他们十之八九不着调，剩下的，李勤勤想跟着师傅学鉴定，但师傅总对关键问题回避再三。

一日，李勤勤豁出去请师傅吃了顿烤鸭，真诚地探讨如何提高自己的业务能力。谁知，师傅哑巴哑巴嘴："咱古玩行，可不就是偷着学？"他回忆自己当年在文物商店做学徒时的情景，又追忆他的师傅如何给更老一辈的师傅端洗脚水、捶背、泡茶，"3 年后，才教你一两招，10 年后才出徒，30 年后才能独当一面。"

想到 30 年后终于成才的自己，李勤勤决定放弃。

她很快找到第二份工作，在一家游戏设计公司做考古游戏的文案。

因为李勤勤学的是考古专业，这工作还算对口。但很快，她又发现这家单位的弊病。"企业文化不好，领导鼓励员工互相打小报告，有谁离职，大家就在会上集体说他的坏话，这样，领导才会相信你。"

　　某次开会，领导批评一位已离职的同事："也不想想自己多大了，30多岁的人，还以为自己是小姑娘，离开我这儿，还能找到更好的地方吗？"在场的人被要求发表意见，李勤勤违心说了几句，"应该珍惜工作机会""应该有长远的职业规划"，领导满意地点了点头，而她恨自己，离开校园，心境一下子就变得不一样了。

　　会后正是午餐时间，在饭馆拼桌的几位同事提到刚才发生的这些，都只是笑而不语。只有李勤勤一针见血地分析："这样的企业文化，说明领导对自己的能力不自信，缺乏安全感。"这话自然传到了领导耳朵里，没多久，领导便把李勤勤叫进办公室，问她什么意思。李勤勤说："没别的意思，我就是想辞职。"

　　在这之后的工作，有的因为压力大——在网站上班时，每晚10点能进家门已是幸事；有的因为流程有问题——李勤勤建议总监改变不合理的流程，被冷待之后愤然离开；有的则因为发展问题——"我看不到整个行业的未来"。

　　"是不景气，但这个行当会一直存在，你看我不就坚持11年了嘛。"朋友说。

　　李勤勤不知该如何回应。这段时间，她待业在家，正在想今后怎么办。她想起自己曾经的职业经历，有些茫然：每一次，她都是最先发现单位最致命问题的人，发现问题就不能容忍问题继续存在。她频繁跳槽，却找不到一个完美的工作。

故事玖　梦寐以求找到更好的平台

在许多人眼里，刘昕是个奇迹。

博士后出站时，导师握紧他的手说："你一定要回来。"欢送会上，黑压压一屋人，硕士、博士满满当当。很多人刘昕都不认识，但他们都认识刘昕——因为他出众的科研能力。

年纪轻轻的刘昕获得了好几项国家专利。用他自己的话来说就是"我不安分，总想捅破窗户纸喘口气"。

第一次捅破窗户纸，还是 3 年前。

那时的刘昕，在北京读完最后一个学位，回到家乡的原单位——一个在当地还算不错的科研所。科研所环境很好，绿树成荫，小桥流水，假山一处处，刘昕踱步其中，只觉得安逸会消磨掉他的斗志。

他忙着调动工作，并最终成功。老所长极力挽留："你看，我们所的工作在本市……我们所的男同志找对象……"老所长的话在刘昕耳朵里模糊成一片，但他慈祥的笑，恳切为晚辈打算的态度，刘昕这辈子都不会忘。

他回绝老所长的挽留时说："我想看看外面的世界，想出去喘口气。"他按住没说的是——"我不想像您那样，一辈子就在一个地方。我需要更大的平台成就更好的自己。

刘昕折腾了好一阵子，赔偿了原单位几万元违约金后，终于如愿以偿来到本行业最尖端的科研单位。"我一个人获得的专利，比我们办公室所有人加起来都多。"即便如此，重要的工作依然落不到他身上——因为他是外来户。

他被排挤。

单位搞测评，他"被出差"，参加一个科研活动。活动结束回到单位，测评已近尾声，且刘昕排名靠后。"太赤裸裸了，一切都明着来！"他气愤道。

接下来，是汇报科研成果。疲惫的他、措手不及的他听说论文答辩就在第二天，不得不彻夜填表、准备各种资料，"这样的事已经不是第一次了"。

他不由得怀念起前单位，"在那里，我没听说过任何人的坏话，每个人都安分守己过好自己的小日子"。一如绿树成荫、小桥流水的安逸——这曾是最让他窒息的环境。

他曾梦寐以求到更好的平台施展抱负，以为这份工作堪称完美，现在却发现内耗严重到他无心搞科研——平台大，机会

多，竞争也更多；智商高、学历高的人聚在一起，争斗的惨烈
程度就更高。

"如果一份工作能像前单位那样和谐、安详，像现单位一
样，平台很强，机会很多，该多完美！"刘昕说。

这又像闷在一个密不透风的房间了，刘昕再次想到辞职出
去喘口气。他听说，一个博士师弟正在创业，已干得有模有样。
"创业意味着更多的未知和风险。"刘昕的斗志又回来了，"没
有完美的工作，我就自己去闯。"

心理师点评 >>>

从生物学的角度来理解，动物们一旦处于某种"未被满足"
的状态，体内就会积聚一定的动力，继而采取一系列的行动，以
便让自己尽快恢复到下一个"满足"的状态之中。

这种动物界的普遍惯性，到了我们人类这里，就变得稍微
复杂。

因为人类会思考。

除了身体上的各种"不满足"，我们在心理上，也常常会体
验到仅仅对于自身才有意义的"不满足"，这种不满足，如果不

是当事人，其他人也很难评判——比如，有关"完美工作"的话题。

一些对工作的不满足感，可以促进我们鼓起勇气去寻找更好的"下一个"。

然而，另一些对工作的不满足感，最主要的原因恰恰是我们自己太过年轻，以至于对一份"工作"的设想美好到完全脱离现实的地步。于是，一次次无法忍受，一次次地换工作，却又一次次地更加失望。

在一个心智成熟的成年人眼中，这个世界的很多事情，都很难说究竟是好还是坏。比如说一个通人情、好说话的老板，带领团队常常赏罚不那么分明，不够公平；而一个制度明晰的单位，很多事情又会让人感到教条、刻板，缺乏灵活性。当我们接受了这世界上很多事物必然存在的复杂的两面性，也就会很自然地接受"哦，我只能选择一个自己相对喜欢的工作岗位，而没必要期待一个完美的工作"。

那些心智成熟的成年人还知道：每个人的工作，都不可避免地会出现各种各样的无趣、无聊，这些都是工作本身的一部分。所以，他们更加能够忍耐工作之中的种种不如意，不会遇到事情就急冲冲地去"发现"工作环境的问题，以逃避"难道是我自己有问题？"的焦虑。

对绝大部分人来说，我们都是在各种"不满足"的启发之下，在不断地"怀疑外界——怀疑自我——怀疑外界——怀疑自我……"的反复过后，一点一点调整内心中"自己"和"世界"的样子，使其一步一步接近现实。

年轻的时候，我们不需要"要求"自己特别成熟。只不过在心情低落的时候，不妨鼓励自己去勇敢地看一看：今天的不如意，真的完全是工作单位的问题？

弱势平台的强势人才

故事拾 在被遗忘的角落努力开花

赵霞如愿以偿做了教师。

非师范生的她把简历投了若干学校，最终被一家三流中学录取。三流中学原本也没考虑她，但赵霞掏出一摞证书——她是学校辩论队的队长，在省级演讲比赛中得过名次，各类征文她是常胜将军……校长把眼镜一扶，再一摘："虽说专业不对口，但真是个人才……"

赵霞无疑是强势的，还没上班呢，全校同事都知道她，"那个闯进校长办公室找工作的女孩儿"。赵霞的第一堂公开课，来听课的老师比预想的多得多，但课后评课，大家云里雾里谈了一堆，谈的都是小节，有分量的错儿一个也没捏着。校长笑了，招对了人。

可赵霞满心失落。

如果专业对口，她何至屈居于此？因为屈居于此，她的能力也得不到承认。

就拿区里教师演讲比赛来说吧，赵霞的演讲极为成功，赛毕第一批领奖人中就有她。拿着获奖证书，看着不如自己的一等奖第一名——当地一中的某老师；再看看其他一等奖获得者，分别来自六中、八中……犹如重点中学排座次。领导们上台和一等奖们握手、寒暄："呵，一中到底是老大！"有人向赵霞搭讪："你是哪个学校的？"她报出单位名，对方茫然，赵霞第一次为"不知名的小学校"自怜又自卑。

好容易谋来的单位是业内公认的弱势单位，名不见经传，无师傅可拜，无强手传帮带，"我要多努力，才能成为名师？"赵霞更失落了。

从小赵霞就发过誓，将来"无论做什么，都要做专家"。现在，

"名师""好老师"是她唯一的职业目标，她想做好，却无处下手。想到演讲比赛，她又觉得"努力也没有用"。

　　一段时间内，赵霞沉默寡言。渐渐地，她发现她和别的同事并无不同。

　　比如，她会对学生发无名火，她加入办公室柴米油盐、娱乐八卦的讨论中；她风尘仆仆、行色匆匆，在学校和住处间两点一线；她重复着上课、备课，不比别人差，却也好不了多少。

　　一学年结束，学生填写评教表，匿名对各位老师做评价、提意见。

　　赵霞看到自己的名字，有学生写："赵老师刚来时，提问都会带着笑，现在成天冷冰冰的。"还有学生写道："赵老师是不是失恋了？""每个新来的老师都这样，过一段时间就露出原形。"

　　赵霞又羞又气，更多的是对自己的不满。她深究自己的改变，那次演讲比赛后，她觉得身处弱势平台，一贯逞强的心被击溃，由受挫、怨念到放弃，她忘了她最重要的那个目标——做个好老师，评委是学生；她的竞争对手只有自己；在业务上，一就是一，二就是二，谁都无法吹她的黑哨。

赵霞抖擞精神，拿出当初勇闯校长办公室的劲头。她像患上听课亢奋症，除了听本校本教研组的，还不放过教委组织的任何一次听课机会；她把每一堂课当作一场演讲，先抓住学生的注意力，再春风化雨、润物无声般传播知识要点。

其实赵霞还是自卑的，她的口头禅是一句修改过的港剧台词，"哭也是一堂课，笑也是一堂课，那不如笑喽"，她把上课当作自娱自乐——学生高兴，自己高兴，不管得不得到业内公认。

赵霞的一个学生玫参加全国性的作文比赛，赵霞事前给她做心理辅导，"就当去玩，做好你自己的事，别抱希望"。这也是她的人生观。但玫成为这所三流中学第一个获得全国奖的学生，这也成为辅导老师赵霞的业绩。

不久，教委语文教研室的领导来听赵霞的课，课后，他问："上个月的全市语文优质课评比，你怎么没参加？参加了，你肯定是第一名。"赵霞呆住，她原以为，在小学校做得再好，也不会被人承认，原来埋头做事，终究还是有人看得见的。

但一瞬间，优质课也好，攻的全国奖也好，赵霞都没什么感觉了。她曾争强好胜，用一切外在的评比证明自己，在患得患失中挤对自己。这两年，在被遗忘的角落努力开花，她体验到工作本身的快乐，这比什么都重要。

故事拾壹　被开拓的人生

方强承认，他选择 A 报的目的不纯。

他爱玩，不喜欢被管；上学时，他总坐在最后一排，不想和老师靠得太近。于某高校新闻系毕业时，以方强的成绩、作品完全可以找个不错的媒体，但他发现 A 报招北京的驻站记者，便毫不犹豫地应聘了。

方强出身新闻世家，父亲做了多年某大报驻地方记者站的记者。幼时，因父亲工作频繁调动，方强几乎几年就换一个居住地，小学、中学，他一共上了五所学校。方强熟悉父亲的工作状态，"虽然累了点儿，但不在总部，相对轻松啊"，他的如意算盘啪啪啪打开了。

　　上班没多久，方强就有些失意。

　　他回家长叹："原来中央媒体驻地方，和地方媒体驻中央完全是两种待遇！"父亲不理他，按着遥控器。"还没上班就想偷懒？哪有那么容易的事儿。"母亲边摆筷子，边说。

　　所谓待遇，指的不是收入。

　　方强发现他在工作中，尤其在同行中，丧失了优越感。就拿采访某炙手可热的明星来说，都是娱记，大家一拥上前，齐齐递上话筒，掏出小本子，纷纷表示，我是某某报的，我是某某电视台的；轮到方强，吐出 A 报，明星、明星经纪人均说："没听说过。"

　　"势利！""有点被边缘化的感觉。"方强和 B 报、C 报驻北京记者站的记者围坐着、吃喝着、抱怨着。

　　关于收入，说实话，每每捏着工资单，方强心中还是有些惊喜的。和收入相匹配的便是，领导自总部常发来指示，对方强的工作一再提出要求。方强何曾在内受过这样的批评，在外受过这般不重视？一份他原以为"看美女，不被管"的工作竟推着他往前走，他被动地被开拓了。

　　靠 A 报的牌子，无法撬开明星的嘴；方强便靠自己。靠他有限的人脉，不断开拓的人脉——活跃在各媒体的师兄、师姐，他结交的同行朋友，他一点点培养出来的娱乐圈相关人际关系；他到处蹭访；腿勤点，嘴甜点，发布会、剧组，到处都有他的身影；他还和几个媒体联合起来一起去采访某人物，"人多力量大！"他还渐渐发现了 A 报的优势，"因为来之珍贵，我们能给所采访的明星足够大的版面，尽可能全面的报道，让他们体验被珍惜及重视……"

　　当然，方强的笔力是关键。

　　一次，因为问题犀利，方强和来自香港的明星 D 就其绯闻事件争吵起来，D 险些拂袖而去。方强的报道却写得精彩，网络时代，这篇报道被一转再转。一时间，人们在方强的文章中认识了另一个 D。

　　后来，方强再约 D，D 的经纪人几乎立刻答应，方强确认："你搞清楚噢？我就是上次让 D 生气，差点气他走掉的那个记者。"经纪人笑说："D 小姐看过文章了，很满意，表示愿意继续合作。"

　　方强竟有些自得，来自工作能力被认可的自得。

B 报驻站的朋友跳槽去某强势媒体了，如鱼得水。

方强也有跳槽的机会，他却按兵不动——单位的事儿、遍地开花的娱乐专栏，他很忙——不再是当初爱玩、吊儿郎当的方强。

"当你具备一定的能力，就会发觉在哪儿都一样，能力本身会带来最大的安全感，最强的优越感。""不要把职业规划局限于你身处的平台，现在人才流动这么频繁，稍稍作出一点成绩，业内就会承认你，'平台'随时都能换。只要你一直做这行，你所做的一切只会把你推向某个台阶、某个层次，然后平行移动——你个人就是一个品牌，你的平台由自己打造。"

心理师点评 >>>

许多同学参加过考研辅导吧？很多时候并不是单纯为了去听课，更多地，还是为了找到一个学习氛围浓厚的环境。此外，还有辅导班老师的教学能力，变着花样给学生们鼓励，就是为了让更多内心脆弱、对未来容易产生怀疑的同学，保持坚定的信念——这就是环境的伟大作用力！

和考研辅导班一样，一个理想的职业平台，也会为我们个人的事业发展发挥许多促进作用——宏伟清晰的职业目标、积极向上的工作氛围、前辈积累的经验总结……这些都有助于我们保持一种良好的工作状态，努力工作，早创佳绩。

话虽如此，并不等同于说，那些看起来相对劣势的工作机会，就果真完全没有可取之处。所有那些坚持"环境绝对论"的人们，实际上都忽视了个人意志努力的力量。

再好的平台，要是不上心，以为从此万事 OK，结果自然也只能是白搭；同理，一想到脚下的平台不够理想，就干脆破罐子破摔，一蹶不振，那就活该你最终是个 LOSER。

那么，我们要怎样才能在相对劣势的平台上，避免环境的负面影响，不灰心、不气馁，始终保持高昂斗志，坚持努力自我提高呢？

积极的心态不是阿 Q 精神，也不是每天早上冲着镜子喊喊口号。重点是要在感到悲观沮丧的时候，不忘记提醒自己退后一步抬起头来——这样才能看见事情的全貌。实际上，悲观情绪常常是由于我们仅仅盯住问题的一个方面死死不放。在貌似弱势的职场平台之上，只要我们肯去细心发现，就一定能找到其相对优势的许多地方。

就像故事中奋斗在非重点学校的赵霞，由于她个人的突出努力，校方也总是会把各种竞赛的机会留给她；还有身在地方小报的方强，不仅可以为采访到的明星留下整个版面，更可以在本职工作的间隙为自己的文字爱好留下充足的时间和精力。

　　不是有一句西方名言泛滥了很多年吗？"改变所有我能去改变的，接受那些我不能改变的。"或者说，无论是职场还是生活，总是盯着一个事物的既有缺点，并不会帮助我们把它变得更好，还不如抬起头来调整自己的注意力，努力找找还有什么其他可取之处。

找户口还是找工作

故事拾贰　找户口还是找枷锁

五年前，硕士毕业，王宇面临人生的抉择。

回地方还是留北京？这很简单，参考别人的去留，对比两地的利弊，他很快选择留北京。

当记者还是在国企做行政？两份完全不同的工作摆在王宇面前，着实让他为难。从兴趣和特长出发，记者无疑是上选，美中不足是不解决户口；而在国企做行政呢？好处是稳定、有户口，坏处是工作内容无聊、琐碎，和学了七年的专业没啥关系。

做记者是真的想，没户口是真的慌……王宇思来想去，QQ

长谈不下十个好友；电话卡打爆了好几张，还是无法定夺。一日，他瞥见一册小说《心有千千结》，竟长叹一声，"心有千千结"说的就是他吧？

是室友强的一句话替王宇做了决定。

强拒了某对外汉语机构的教师职位，他的理由是"不解决户口，就是让我在这个城市一辈子做二等公民！"强说时无心，王宇却听得心惊："二等公民？！要是别人都有北京户口，就我二等公民，岂不显得我没本事？""工作以后可以换，户口可是过了这个村就没这个店啊！"

王宇去某国企办公楼签约。

他永远不会忘记那一天。他坐在人事部等，看着阳光穿过窗帘，洒在对拼的两张办公桌的玻璃板上，玻璃板下有几张合影，合影抬头处烫着金字。金字、玻璃、阳光让王宇眼前模糊了——从此，他要融入另一种生活，按部就班、正襟危坐；无论在做什么，都要装着很忙；工作做得再好，也不如每天来得早，卫生做得好……

这不是他想要的生活。

王宇签字时，心被针轻轻扎了一下。他装作没有感觉到，仍礼貌地和人事部经理微笑。经理说："你可看好了？合约还有附件。"王宇点点头。

附件写着：王宇与该国企签约五年，因解决北京户口，所以约满前提出辞职，违约金一个月四千。

许多日子后，"不干了""砸锅卖铁也要走"之类的话在王宇心里上下翻腾，都是"违约金一个月四千"拦住了他的腿脚。

"不干了""砸锅卖铁也要走"却出现得越来越频繁。

比如，在会议记录、发言稿、各式汇报材料的官样套话中，王宇渐渐感觉无味，他不知道多年来所学，无论专业知识还是思考能力，现在能派上什么用场。

又比如，领导掀杯盖，吹茶叶，咳嗽几声，千篇一律布置工作时，他明明说错，下属明明要做无用功，却都俯首帖耳、点头称是——人人都能预见并体验，事情到最后还要从头来过。

再比如，单位一把手动不动将员工当小学生一样训斥；一次，一把手摆驾王宇的办公室，王宇正在电脑前做表格，没及时起立问好。一把手当场训王宇"没家教"，几天后，又当着所有人的面将王宇写的材料掼在桌上："你他妈的写的是什么东西！"没有人敢吭声。

这样一份工作，让王宇觉得他的思想、理想、知识、激情、自尊，多年奋斗求学所得、最值得珍惜的美好东西在慢慢流失。

他想走，也看到许多同事走。

他不能走，当初卖自由买户口的合约写得明白，一个月四千，那意味着他早走一年就要赔近五万，这对一个在北京成家、立业、买房都要靠自己的外地人来说，损失巨大。

就算赔得起钱吧，就算像做律师的朋友所说，可以用官司摆平违约金，王宇不是没见过，单位如何扣留那些辞职同事的档案、企业年金……他们一趟趟跑来，一趟趟遇到扯皮，他们甚至都是本地人，没和单位签不平等条约。

五年。

日子一天一天过。

一份不适合自己，找不到乐趣的工作，逼着王宇拿起笔在无眠的夜，回归自己。有时看着报纸或杂志上铅字印着的"王宇"，他总会发一阵呆，有人推门进来，又赶紧折起，塞进抽屉，满脸堆笑看着来者，他又变成那个日渐平庸、甘于平庸、将一直平庸的科员王宇。

时间迈过了 2010 年。

元旦那天，王宇在家收拾东西，劳动合同夹在硕士学位证里。再过四个月，他就可以离开某国企。不知为何，拿着那张"甲方为乙方解决北京户口，乙方为甲方服务五年"的纸，他突然大哭起来。

哭得那么忘情，哭到失声，哭得出现幻觉。仿佛五年前的自己悬在半空，他在轻叹："咦？迁户口，做'一等公民'时，也没见你流泪半滴……"

故事拾叁　没户口就像没身份

如果不是同学强，对外汉教的工作不会轮到丽。

强和丽同班又同门，本科又都是师范专业，实力相当、经历相同。在这家对外汉教机构实习时，该机构的领导人明显偏向强，原因嘛，强是男生，谁不愿招年轻力壮的小伙子呢？

临到签约，强放弃了。他扬扬得意对丽说："我签了 xx 中学，解决户口！"丽一面感激强的通风报信，一面愕然强是否能在北京"十二环"外耐得住寂寞，她冲向该机构软磨硬泡，签了三方协议，毫无意外，几个月后，户口打回了原籍。

丽不是一个豁得出去的女孩。要工作不要户口，纯属无奈。

丽曾有一句名言，在学校 bbs 上传诵一时："每一个外地、非热门专业、应届女生的就业过程都是一部青春励志剧。一人一部励志剧，人物各异，情节雷同，中心思想是不断碰壁，永不放弃。"

丽就是在不断碰壁的过程中，逐渐意识到，那些专业对口，合乎兴趣，又稳定、收入又高的好工作有是有，只是很难轮到她。她总要工作的，所以只能删减欲望，删兴趣，舍不得；删收入，怎么活？最好删也最难求的只有稳定——户口了。

工作没有辜负丽的选择。

毕业三年，丽已被单位作为骨干选派去国外任教了一段时间；毕业五年，丽俨然业内精英，教学能力、专业知识不用说，并且已经有人挖她一同创业。

不过，丽也有烦恼。眼看着昔日同学一个个成双成对，不时收到结婚、生子的报喜短信，丽总会自怜一下，哎，快三十了，还小姑独处呢！

　　这不，周末强乔迁之喜，请大伙儿聚聚，丽又被导师、师弟师妹们问起终身大事。

　　说实话，丽的条件不错，除了没北京户口。

　　导师曾给丽介绍过一个博士，和丽见面后，虽不至于一见钟情，起码彼此印象不坏。来往了一段时间，就快确定关系了，丽一次无意间提到自己户口不在北京，博士大惊："北漂啊！"丽事业干得不错，所以很久没把户口当回事了。看着博士吃惊的表情，她顿生鄙夷，拂袖而去。那一回，她以为是该博士个人的问题，后来屡屡因同样的原因相亲未果，有时甚至介绍人把她的情况一说，对方连人都不见，丽才意识到，户口是个大问题！

　　她嘴上说，只看重我户口的男人也不值得爱；心里却明白，没户口，在这个城市确实有诸多不便。

　　比如买房。站在强的"豪宅"里，一问房价，丽顿感无语。强买的是经济适用房，一平方米两千多，近两百平方米的房子也不过四五十万，这让一万多一平米拿下房子的丽只觉得和强是异面直线。

　　房价关乎户口，买房手续那就更不用说了。丽感慨她买房时有多麻烦，强不信，丽马上用手机上网搜给强看："外地人买房先到北京房地产交易中心网站上做登记，接下来要办理外省市个人在京购房批准通知单，带上购房合同原件、暂住证的复印件（和原件）和身份证的复印件（和原件），到北京市房地产交易市场管委会，交付购房款的千分之三后，拿到批准通知单，然后才能再交款办理产权手续。"

强吓了一跳，直叹复杂，丽摇头摊手。

再比如买车，再比如以后子女上学，再比如办个签证还得回老家，永远拿暂住证，是这个城市的外人……丽的话匣子一打开，牢骚就没完，说着说着，丽甚至觉得那些因户口问题嫌弃她的相亲男们确实有足够理由坚定他们的嫌弃。

一旁的几个师弟师妹面面相觑，那眼神分明是"一定要找个解决户口的工作"！

直至牢骚如击鼓传花传到强那儿，轮到强表演了。

强说，每天就是上课、改作业、维持纪律、监考，看着时间慢慢爬过皮肤；一年这样，五年这样，我都能预见十年、二十年后我的模样。真没劲。

他把脸转向丽："有时候我真羡慕你，起码一直在做自己喜欢的事,一年、三年后的生活都是新鲜的未知数……还记得王宇那哥们吗?我们屋,想当记者后来去国企的那个?最近又满世界找记者的工作……哪有那么容易,从头再来,所以我……"

师弟、师妹看看丽又看看强,那份迷惑、彷徨,面对取舍时有点悲壮,和丽们、强们当年一样。

心理师点评 >>>

心理学家做过这样一个实验:分别让被调查者为自己"捡到"或者"丢失"100美元。结果发现:捡到100美元,大部分人只会为此高兴一个上午;但若是丢了100美元,却常常让我们一连难过不止两三天!

选择是一种罪过,选择的本质,就是在确定我们得到一些东西的同时失去良多,更何况是"户口"这样的大问题。

这就比较容易去理解为什么那么多"没得到",以及"得到"户口的年轻人,同样都因此把自己搞得十分不开心——如此重大的一个决定,通常会让亲历者把注意力过度集中在自己由于这个选择而带来的失去(或者没得到)的那些方方面面。

　　所有这些不开心的年轻人们，究其心理的本质，都是不小心掉进了"重大选择式"的思维陷阱，误以为自己原本广阔的生活空间，果真在一夜间只剩下一个"这端放着户口，那端放着梦想"的巨大天平。误以为除此之外，全世界并无他物。

　　停止自我惩罚吧！上帝不是一个苛刻的小商贩，生活也没有那么多的线性因果，不是当我们选择了 A，就不得不永别 B 和无限期地忍受 C。别忘了，天下那么大，还有另外一大堆的 D、E、F、G⋯⋯

　　那些如愿拿到了户口的同学，也许你觉得手头的工作烦琐无聊，可是反过来想，这也就是等同于说，你因此拥有了大把的时间和精力，可以为了心中的梦想，做各个方面的准备和积累。而当初那些豪迈地放弃了户口的同学，也不要相信如今生活中的一切不如意，都仅仅是由于缺了那薄薄一张户口页造成的。很多一时看来无解的难题，最终都是可以曲线救国逐步实现的。要不然，北上广没有户口的精英那么多，难不成个个都要郁闷致死？

　　总之，搞得我们整日心神不宁、情绪低落的，更多的是我们简单对立的思维模式，还有整天盯着劣势处境死死不放的选择性注意。

　　人生很长，长到不存在一个所谓的"关键选择"，真的重大到足以影响我们的一生。人生之路，除了几个貌似吓人的大方向之外，还有无数个可以"微调"的小时机，需要认真把握。

　　除非你自己不愿意。

特特说：你的迷茫是雾是霾？

雾朦胧时，挺美。

高中时的男朋友，最初吸引我的便是他作文中的一句话：我如在雾中走，不知前方是什么，也不知该走不该走。

但雾大了，又持久，继而有毒，就和美无关了，那是霾——长居北京的人都知道，写这个字就有刺鼻的通感。

迷茫便是如此吧。

合乎年纪的，恰到好处的迷茫有种特有的稚嫩、生涩味儿，如毛茸茸的脸蛋、几粒无伤大雅的青春痘，像青橄榄；但迷茫一直持续，因迷茫变成人生的坎儿，你只趴在这个坎儿上看世界，就只能感受其中的负能量，不值当了。

"李老师"——我一直这么喊李勤勤,她已经被我在各种联系方式中封杀。

多年来,她的抱怨让我觉得职场了无生趣,人际关系无聊透顶,每一份工作都像填审核报告,结论一致:不合格。

当我听了她的哭诉,接受她的委托,为她介绍工作,不到三个月,她以第一百零一个理由辞职时,我决定,如果我不能解决她的问题,又不想因她浪费时间、精力,而她给我带来的是对我天天要面对的职场失去信心,她只能从我的通讯录中删除。

我引刘昕、赵霞为知己。

谁一开始是铁打的?有情绪上的波动,思想上的动摇,很正常。但想明白了,就该重整旗鼓,凭一股子蛮劲,硬生生再拼出一条人生路。

刘昕创业时对我说:"我们都是不安分的人。"如果说"不安分"指的是不被命运摆布,安于安逸的生活,我希望我一直不安分。

赵霞最喜欢的女作家是丁玲,理由:"在艰难的时候,红卫兵分给丁玲一群先天不足的小鸡,打算看她养鸡的笑话。可丁玲二十世纪九十年代在美国遇到台湾作家蒋勋,得意扬扬地表示，我偏把鸡养得很好，我偏不中他们的计。"

赵霞感慨："看起来是幼稚的斗气，但又是何等顽强的生命力。"

她的感受与我相同。

说个秘密，王宇即是我。

研究生毕业后的最初几年如炼狱，自我期待与现实相差太远，从众心理导致的选择不知道是错是对，独在异乡，没有可以商量的人……每一晚，我都哭啊哭啊哭啊，只能任眼泪顺着眼角流淌，不敢擦、不敢揉，擦了、揉了，眼睛就会肿，第二天去上班就会被同事发现。

高额的赔偿金也导致无法离职，关键是我没有一技之长，除了一张文凭，我出去又能干什么？

我开始给报纸、杂志写稿，写心事、写故事。那纯粹是迷茫期、郁闷期不知该干什么，总要做点什么的本能反应。

后来，写作成了我的一种谋生术。

我甚至有点感激那时的经历，因为它让我明白，所有的工作、平台都是一个舞台，借别人的台子唱自己的戏，别耽误我唱戏——别耽误我完成自我成长，就行。

再说个秘密，李勤勤即是我那时的同事。

在我们共事的那段时间，也共有一份迷茫、抑郁，曾一起渴盼突破。

一份不好工作的坎儿，我想我已经过去了，好久没和她联系了，不知她有没有迈过去。

第三章

别害怕对面的上司

步入社会之初，我们懂什么？能选上司吗？很少人有机会。所以要观望，所以要等待，所以要忍耐。在这个时间段里，让自己成长，成长到可以用实力实现不受摆布，自由选择工作，继而选择上司，最好是你的同类，你踮起脚尖想够到、想变成的那个人：他／她比你高，方向和你一致，他／她能领导你，推你向前走。

别害怕对面的上司 >>

选工作还是选上司

故事拾肆　为一个人改变职业规划值不值得?

口述：文丽

研究生毕业后，我一直在这家出版社工作。

最初，我被分配在总编室做行政，每天的工作大多是琐事——填写或制作各种表格、参加或安排各式会议、每周一次汇总全社工作的进度，剩下的时间就是整理档案。

总编室的工作很清闲，但一年下来，回头看看，自己都记不住究竟干了什么，我没有成就感。我想，我要改变现状，要做核心业务，我主动请调去编辑部。

我对总编说，我读了这么多年书，有良好的文字功底，但现在我能和文字做最亲密接触的机会不过是在写会议纪要的时候。我向他保证，我会努力成为一个合格的编辑，哪怕伏案工作有多枯燥，哪怕用一个标点符号或是一个错字扣一块钱的质量检查标准来要求我，我也愿意。

也许是我渴望的态度，也许是之前没有人想从清闲的行政岗调到终日伏案的编辑岗，总编说，他考虑考虑。一支烟后，他同意了。

我把所有的东西装在一个大纸箱里，两手托着搬去了楼上的编辑部。我一步一步踩在木质的楼梯上，仿佛和文字的距离渐渐缩短，那一瞬间，我的心情可以用欣喜若狂来形容。

半年后，我开始独立做自己的选题。

每隔一段时间，我就会深吸一口气，其实很紧张却仍旧勇敢地抓起电话，和一个素不相识、但我感兴趣的作者沟通，并努力说服他为我写稿。我迷恋那种想到一个选题就热血沸腾，实现一个选题就自信满满的感觉。当我签下我在学生时代最为欣赏的一位作家的书稿时，我竟然激动地流下了眼泪，我对自己说，这就是最适合我的工作。

不知不觉我做编辑已经三年，就在我踌躇满志，逐步实现职业目标时，我们社的人事有了很大的变动。

上级主管部门任命一位新社长，以期提高我们社的经济效益。

新社长姓孙，发行员出身，从基层做起，一直做到某大型图书城的总经理。他是卖书的行家，拿到一本书，看看封面和书名，再翻翻大致内容，就知道销路如何——这也是他之所以能被派来做社长的原因。

然而精通发行，并不意味着精通出版。孙社长到任后，一系列大刀阔斧的改革引起了越来越多的矛盾。

一次，他在会上问大家，为什么每年固定的校对费那么多？为什么要用校对？为什么编辑不能做校对？

三问之下，我们都傻了眼。随后，他做出了决定——取消这笔开支；从此以后编辑充当校对，互相校对方的稿子——工作量陡然增加，错误率却提高了。

又一次，也是开会，孙社长质疑，为什么社里有这么多硕士、博士。还要用高稿酬请社外人去点校古籍？他通知大家，从今以后，古籍点校都由社内编辑完成。

有人想反驳，他却宣布散会了。

那段时间，我们近乎胆颤心惊地句读着——文章千古事，以我们非专家的水平，敢点校古籍，并留下姓名吗？

我们一次又一次提出异议，孙社长不理解，他甚至不听总编的解释，他的话越说越难听："社里养你们是吃闲饭的吗？"

直到有一天，他从外地学习回来，对大家说，这次出去交流，才知道编辑和作者不能是同一个人，点校的事情就放在一边吧。他又说，我是个商人，商人就是要挣钱，要节约成本，难免会犯点小错。

我们面面相觑，松口气又叹口气：几个月的时间，我们的精力就浪费在社长摸着石头过河"难免会犯点小错"的过程中。

这样的事情越来越多，社长因为不懂出版而"小错"不断；我们因为人微言轻而"浪费"不休。

社长不懂出版，也就不懂出版人才的管理。

他把之前管理营业员的经验应用到出版社，行不通，也让人难以接受。

比如说，他粗暴的态度，当面指责人，甚至爆粗口；比如说，他动辄威胁员工，"不行就让你下岗，像你这样的满大街都是"；再比如说，大大小小的订货会上，别的社的编辑忙着观察市场，而我们被要求白衬衫黑裤子，笔直地站在属于我们的展台前，拿着抹布随时准备擦抹灰尘——老编辑对我说："斯文扫地啊。"

这些都没关系，只要不影响我的工作。然而自从孙社长上任后，我就发现我的单位成了我工作的最大阻力。

首先，我难以顺利出书。

作为前书店经理的孙社长判断一本书好坏的标准就是是否能挣钱。你和他说选题的意义没有用，他的文化水平也不能理解。而他曾在的图书城以卖某专业领域的书籍为主，超越那个专业领域，他就无从判断选题的好坏。所以，当你提出一个选题，别人做过类似的，他便质疑：有人出过了，再出能挣钱吗？如果你提出一个没人做过的选题，他又会质疑：没人出过，你知道市场认可不认可吗？

我们无言以对，所能做的就是向他不断地普及，不断地说服。

可以说，自从他上任后，我每出一本书，我们社的任何一个编辑的任何一本书都是靠毅力拿下的。我现在深吸一口气，很紧张也得很勇敢去做的事，就是敲响社长办公室的门——说服他已经成为我日常工作中最重要和最艰难的事。

　　这只是一份工作，我至于要每天和自己打架，每出一本书都让我觉得精疲力竭吗？

　　我也没有办法和我的作者交代。

　　孙社长不懂，所以不能肯定自己下决定的选题，经常朝令夕改。常常，我施尽浑身解数，终于说服了他，也说服了作者，签完了合同，等拿去盖章时，孙社长突然说，我再想想——这想想，可能就没有下文了。一次两次，作者能谅解，次数多了，我就永远失去了对方的信任。

　　作者是我几年工作最宝贵的资源，也是我继续从业赖以发展的根本，为什么我的领导要让我失去，让我今后的工作难以开展？

　　我越来越觉得苦闷。

　　而孙社长不懂出版，他便四处取经，他怕因不懂而被属下欺瞒，所以他取经的重点在于打听本行业内各种不规范的事情。

　　他拿到合同时，常常问编辑："这个作者和你是什么关系？"如果你说你之前就认识作者，他就怀疑你以公谋私——他不理解文人是一个圈子，你的朋友是你的作者资源，你的作者也可能成为你的朋友；而如果你说你之前不认识这个作者，他就会怀疑你为什么要给人家出书，他会冷不丁地问你："你从作者那里能分多少钱？"

他第一次这样问我的时候，我出奇愤怒——这是对我职业道德的侮辱。

不仅是签合同，一切正常的工作流程，他都要拷问再三，他审讯一般的发问方式，防备你像防备贼的心理让人如坐针毡，我开始觉得委屈，和同事们互诉委屈：这是我的工作啊，我在为社里挣钱，为什么我还要不停地解释、辩驳、受委屈？

待遇并不高，我们每个人身上还有要完成的经济任务，工作量增加了，工作难度提高了，每做一本书都像打一场仗，还要被盘问，还要丧失资源甚至朋友——有同事陆陆续续辞职了。

我也开始想，我要不要走，是去另一个出版社还是干脆离开这一行？

我曾经踌躇满志，有过详尽的职业规划，我不否认至今为止我仍热爱我的工作，它带给我快乐和成就感；但孙社长的到来让我意识到，在出版这个行业，一个社长能决定一个单位的方向，影响整个社的氛围；那么去任何一个出版社，碰到好领导是我的运气，再换一个类似的领导，还不是同样的遭遇吗？

这是行业的症结，还是个别的问题？我没想明白。

我又开始困惑，我要不要因为一个领导而改变我的职业规划呢？

如果我曾经详尽的职业规划，只是因一个偶然出现在我生命中的人轻易改变，是不是也意味着就算我改行或跳槽，今后也会因为其他人而改变计划？我为了领导想换工作，究竟是领导的问题，还是我自己的问题呢？

故事拾伍 领导是我的绊脚石——小公务员的烦恼

口述：张钦

大学毕业时，我经历了层层选拔，过五关斩六将，终于成为国家部委某重点单位的一名公务员。我为自己感到自豪，我正当青春、才华横溢，又通过努力以 1 比几千的比率脱颖而出，赢得了这么好的一个平台，前途在我眼前一片光明。

我在我们班同学中就业单位是最好的。毕业散伙饭上，同学们跟我碰杯时总会开玩笑地说："苟富贵，勿相忘啊！"我开怀大笑，富贵不是我的人生目标，但那时的我的确自信满满，踌躇满志，想做一番事业。

到如今，我毕业已经七年，有时回想起刚工作时的心情，我总是不由得摇摇头或苦笑几下。过去的同学有的成了资深的编辑、记者；有的中途下海发家致富；继续深造的已经博士毕业，专职研究学问；跻身外企的，俨然成为主管、部门经理。

七年，足以让一个稚嫩的学生成为一名专业人士。而我呢？

我和毕业时没有什么两样，七年来，我每天重复着枯燥的工作，写材料、盖章、打电话联络以及办各种琐事、应付领导的各种要求。更重要的是，无论工作的内容还是我的职位或者待遇一直都没有变化，我的工作对我来说形同鸡肋。

有时候我想，如果当初我跟了一个好领导，或许今天就不会牢骚满腹。

我的领导姓李，五十岁左右，我进单位时，他才提为处级干部不久。也许是多年媳妇熬成婆，好不容易翻身，李处长从一开始就对我颐指气使——每天我一进办公室，就被他吆喝着去干这干那。我所在的部门只有我们两个人，换句话说，李处长只有我一个兵。我们的分工很明确，所有跑腿的、动脑的、动手的事都由我一个人完成，李处长只负责吩咐、验收和签字——七年，每一天都如此，你可想而知我的郁闷。

　　上班做事，虽然累，都是分内之事，倒也没有什么好抱怨，我抱怨的是李处长不能教我什么，反倒成为我职场的绊脚石。

　　比如说，工作需要，我常会被要求给更高级别的领导写发言稿。当我苦熬几日，绞尽脑汁，参考了大量以前的文件，终于拿出我精心准备的稿子准备上交时，李处长总要先看一遍，而后提出修改意见。有时他等不及我修改，就亲自操刀在稿子上勾勾画画，一开始，我想他在机关工作多年、经验比我丰富，就抱着谦逊的态度向他学习，哪怕他修改后，我并不觉得比我写得有多高明，我也承认是他对，并强迫自己接受他的思维方式。但好几次，大领导看到修改完毕并重新打印的稿子后，总说我的思路不清晰，思想不深刻，责怪我不够认真，更或许是能力问题。我百口莫辩，因为大领导所指出的错误大多是李处长着意修改的地方。这样的事屡屡出现，我不能避免它的发生，以后每逢遇到类似的批评，我都心存委屈——不是我的错误，却要我来埋单，我还不能指出这是李处长的手笔……

　　再比如说，我们部门曾参与组织一项大型活动，本部门的任务是负责一百多名境外媒体记者及国际友人的食宿、交通及

采访，任务繁重，不容有半点闪失。在活动前夕，我战战兢兢，
如履薄冰。开始具体接待工作时，李处长却告诉我，他要休年
假了。他的意思是，如此重的任务，由我一个人承担，一旦出
现事故，他概不负责。幸好当时我已经有了一定的工作经验，
否则真是两眼一抹黑，欲哭无泪。

　　又比如说，李处长总是向我强调，对于我们公务员来说，
执行力是第一位的；平日里，我对我们的工作提出合理化建议，
李处长总是无情地打击我，他对我说："小张啊，我们在机关
做事，最重要的是执行力，而不是需要你有多少想法，更何况
你的想法未必正确，执行上级的命令就行了。"他不但这样要
求我，他自己也是这样做的。每每开会，谈到对某个草案或某
个项目的看法，李处长总是无法清晰地表达观点，更不用说提
出建设性的意见，久而久之，我从执行他的命令，到怀疑他的
命令，直至怀疑他的能力，一个无能的人做我的上司并指挥我，
我对他难以心悦诚服，工作时的负面情绪越来越多。

　　我和李处长的矛盾终于爆发。

　　一次开会，大领导带我们几个部门共同商讨一份政策草案
的实施。大领导问，对于这份草案你们还有什么意见吗？李处

长开始发言，他没有从大而宏观的角度考虑问题，而是具体而微地讨论草案的第三条第四小节或是第十条第六小节，他有什么看法，根本没有什么建设性意见，大领导明显不满。李处长发言完毕。大领导沉默片刻，他大概认为李处长水平也不过如此了，又怎么能寄希望于我这样的小兵呢？于是他看了我一眼，随口说："小张，你还有什么意见吗？"他一边说，一边已经开始收拾文件，准备结束会议了。

　　这回我没有忍住，而且我也确实对草案有自己的看法，我清清嗓子："我认为一个草案的提出到最后实施要从宏观的角度看，其次才要落实到各个步骤……"当我把自己的想法和盘托出时，不到十人参加的会场一片寂静。

　　宣布散会后，我在电梯里碰到大领导，他对我说："小张，你刚才说得很好，为什么平时没发现你有这么多想法呢？"

　　我叹了口气，欲言又止，最后，我对大领导说，我想表达想法，但我有机会吗？

　　这次越级表现，使得大领导对我印象颇佳，却也让李处长感到不高兴。此后，李处长经常找我茬，增加我的工作量，无论我做什么，他都能找到错，然后一遍遍打回去修正。

　　最让我受不了的是，当单位给了我一次出国培训的机会——这对我的个人发展有非常重要的影响，李处长根本没有告诉我，便以部门工作繁重，实在腾不出人手为由，坚决不放我去。我在事情过后才知道，当我站在他的办公桌前，满脸通红地问他为什么时，他干笑两声说："你走了，这里的活谁来干呢？"我无言以对。

我不想在他手下干了，于是我四处活动，当另一个部门的领导愿意接收我时，我去找李处长谈调动。他还是那两声干笑，还是那一句话："你走了，这里的活谁来干呢？"由于他的坚持，我又失去了一个机会。

我已经在这个机关待了七年，每天坐在办公桌前周而复始地工作，随时等候李处长的差遣。

有人说，做公务员十年八年你还没有升职涨工资，单位人说你笨，家里人说你没长进，同学、熟人说你没水平，你一肚子的苦水、委屈还找不到人倾诉。这其实就是我的写照。不是我不努力，也不是没有机会，但李处长成为我的绊脚石，我无计可施。

他不能教给我任何东西，却也不放我走。活我一个人做，一步也错不得，工资那么一点点，升迁不知道是多少年后的事情，机会却一个一个被迫放弃。

公务员工作的特殊性质，李处长不放我，我就无法跳槽到别的部门或单位。等他离开？他退休，那是十年后的事了，我等得起吗？

干脆不做公务员了？可是我的工作经验又能干哪一行？就算改行，七年的青春、精力就白白浪费了吗？我在机关耗了这么久，实在有些不甘心。

如果当初分在别的什么部门，运气好，碰上一个好领导能帮助我、教导我，可能今天就不是这样的处境，而我现在进不得退不得，李处长是我职业道路上的绊脚石，我无力踢开它，我看到他就心生厌恶，却不得不服从他的每个命令。

有人积劳成疾，我害怕我会积郁成疾。

心理师点评 >>>

我们都喜欢那些喜欢我们的人，生活中（当然也包括职场里），很少有一份关系只有单方面难受。你这边抱怨上司种种，相应地，上司那边也一定觉得带着你不容易。所以，想让上司不找你麻烦，最简单的方法就是帮他解决麻烦。所以，如果我们常常能够先人一步考虑到让上司头大的事情，提前做好应对方案 A、B、C，办公室的气氛就一定会改善许多。而两个人之间的气场顺畅了，你就更容易在日常的具体工作中获得对方的支持和帮助。

搞清楚了这一点，接下来就好办了。

重点就是兵家常说的"知己知彼，百战不殆"，尽量去理解上司头脑中的世界——而不是去粗暴地评价。以文中的孙社长为例，他既然最关心书的销量，关心钱，那就每次和他打交道都把与"钱"相关的大小事项表述清楚，告诉他"让编辑去做校对的事情是资源浪费"，然后让他去作最后的判断。

那么，"如果他就是死活不听劝怎么办？"——比如"取消校对"这样的事情。记住，作为下属，我们可以充分表达自己的意见，但是如果上级已经做了决定，我们就去赶紧收拾收拾好好执行——上级作出的决定，自然有他逃不开的责任，最终的后果，还是要由他自己去面对承担的。

不要在上司面对"错误"的时候在一旁添油加醋，这对于实现你的职业目标没一毛钱好处。记得吗？重点是实现你自己的目标，而不是嘲笑上司的失败。刚入职场的年轻人，喜欢在很多事情上争论出一个"对"和"错"，等到工作的时间久了，你就会渐渐明白这世界没那么多标准答案，"有效的"常常要比"最好的”更加实用。

两点之间当然直线最短，但如果眼前没有一条现成的笔直大路，难道你就一定死磕到底不绕弯吗？

当然，最后还有一点，上司不是爸妈，实在运气不好，遭遇个千年不遇超级奇葩的上司，我们当然还是可以辞职走人的。但是走人的时候，可实在没必要再跑到人家面前“此处不留爷，自有留爷处”炫耀一番。太幼稚了——还是那句话，那些与你实现自己的职业目标没关系的事情，统统不用浪费时间精力去特意纠结。

如果被上司抢了头功

故事拾陆　宋佳被组长彻底害了

　　宋佳在省城一家重点高中当老师，学校从她上班伊始就很重视她。她所在的史地教研组正逢全省优质课评比，组长对她说："小宋，你放手干，到时候我推荐你。"

　　组长说完话，夹着课本和教案翩然而去，宋佳却陷入了沉思。她想，和老教师比，无论课本熟悉度还是讲课生动度，她都不是对手。如何脱颖而出，她得好好琢磨琢磨。

　　整整一个星期，宋佳表面上不露声色，背地里做足了功夫。她先在她带的四个班里做了小小的"民意调查"，看看学生们最喜欢用什么样的方式上历史课——看电影？学生不感兴趣；做游戏？学生感兴趣，宋佳却否定，因为课堂乱起来，无法收场；演小品？占用时间太多，再说，不能只顾玩儿讨学生喜欢，忘了"传达知识"才是硬道理。

宋佳思来想去，决定中和学生的意见，这不马上要讲"文成公主入吐蕃"吗？干脆让学生排演个小话剧，几个学生写剧本，几个学生演，加上"群众演员"，争取让全班三分之一的学生上台，剩下的在台下当观众兼评委，可以提问，参与打分，最后公决评出"最佳演员"。

宋佳为自己的想法感到激动，所谓奇兵制胜，这样的公开课，还不稳稳被推荐，运气好的话还能拿到省优质课的奖呢！

当办公室里只剩下宋佳和组长时，她向组长坦白了自己的计划。组长大为赞赏，空调开着，组长还是打开她那把秀气的檀香扇，一边扇，一边说："年轻人就是有办法！但这课上起来，你要注意几点……"宋佳非常高兴，不但得到了组长的认可，还得到了她的指点。

此后的日子，宋佳紧锣密鼓忙了起来：指导学生写剧本、挑演员、带他们排练……公开课的每个环节，都在宋佳的脑子里过了上千遍。

组长来关怀了好几次。

每次来都带着对年轻人的关心，每次走都留下若干建议。宋佳感激之余，在优质课推荐表上答应了组长的提议——"你太年轻，一个人报不合适，不如前面挂着我的名字，别人就不好说什么了。"组长是爱护她的，最起码不会害她，宋佳想。

公开课获得了成功。

按原先的设计，为表现学生的自主、自娱、自学，老师只在一上课时简单介绍这堂课的内容，下课时再做总结。既然推荐表上写的是组长和宋佳的名字，所以她俩提前做了分工，组长课头，宋佳课尾。

校内的公开课，宋佳和组长配合默契。

优质课评比正式开始，省里专家来听课时，却出了差错。

一切正常，眼看要下课了，宋佳屏息，闭眼，暗自顿顿，站起身，准备上台。没想到，组长已经先她一步。

组长站在讲台上，嫣然一笑，条理分明，逻辑清楚，普通话异常标准。她总结了文成公主嫁到吐蕃一二三四点意义，一二三四点影响，她一扬手"感谢今天参与表演的同学们"，再一扬手"感谢观众和评委们",笑声、掌声响起一片。

她最后向来听课的省里专家、校内老师鞠躬,似乎完全忘了有宋佳这回事儿。

宋佳觉得眼前的一切都不是真的。

"怎么会这样?我是不是被组长耍了?"这个声音持续了几天几夜,怎么也挥之不去,可是班还是要上,上班时也不见组长有什么特别的歉意。宋佳甚至怀疑这一切是不是自己的幻觉,也许从一开始就确实是组长的课,她只是来帮忙的?

她突然想到她最后并没有看到那张推荐表,也就是说,从一开始就是个预谋。宋佳想得头痛,精神就有些恍惚,上课时心不在焉,公开课后的第五天,她在讲台上说着说着,突然发现什么都听不见了。她撑到下课,去医院,医生说,她可能是遭遇了打击,引发了神经性耳聋。

宋佳的生活因为一堂课完全改变了。

她听不见,不能上课,只能休假半年。

吃药让她越来越胖,一只耳朵恢复了听力,另一只耳朵却一直不太好。

听得不清楚就显得她反应迟钝,反应迟钝,重新工作的她也无法像过去那样被学校重视。

大家都说，宋佳被组长彻底害了。

几年过去了，组长被调走，去别的学校。宋佳还是个微胖、耳朵不太好，你说话她希望你重复几遍的普通老师。

组长并没有因为省优质课得奖飞黄腾达，那只是她履历上的一笔，也仅是一笔而已。

组里的其他老师也没有因为从没得过奖，生活就特别不如意。只有宋佳，那堂公开课成为她人生的转折点。

宋佳有时想想过去的事，有些后悔，其实组长或是公开课，都只是挫折的一种，如果自己再豁达一些，如果不够豁达，干脆撒泼把怒火、委屈发泄出来，而不是憋着、胡思乱想，也许公开课就只是公开课，她也还是原来的宋佳。

故事拾柒　一张被涂改的职业计划书

陶铸被公认有天分。

非广告科班出身，却一上手就显出不凡。

这不，改行好几年了，打开电视，某跑车的广告弹出，剧情改了，主角换了，唯有陶铸创作的那句广告词还在。他手一指："哥们儿想当年……"哥们儿捶他一拳："后悔了吧！"

说来话长。

陶铸学的是电子，做的是销售，却无意间参加了一场为某名酒征集广告词的大赛。

大赛借助那时刚兴起的微博在网上闹得轰轰烈烈，滚动播出的参赛广告词如选秀比赛的选手，在评委即网友们苛刻的评选、投票下，历时整一个月。陶铸最后胜出，获得大奖十万元，而他拟的广告词不过十几个字。

这真是个赚钱的好行业。

当然，不仅为了钱，为那种万众瞩目，而是你的一线灵光马上就能得到传播的成就感。

陶铸干脆辞职，加盟了举办那次大赛的 A 广告公司，一切都那么新鲜，所以连加班、甚至彻夜不眠都不觉得累，很快，陶铸做了一个小团队的头儿。

他才 25 岁。

广告挖掘了陶铸的所有潜力，用上他所有的知识储备。陶铸庆幸自己什么书都读的庞杂知识结构，更庆幸从小被父母逼着画过几笔画，有美术功底，具备审美意识从而弥补了非科班的不足。

不算一帆风顺，尤其刚做领导时。

陶铸拿出更多干劲，以期达到以身作则的目的。好几次路过他的工位，领导张总都拍着他的肩膀说："小陶啊，好好干！"有时，在茶水间遇到，张总也会主动给他递烟，这种在众人中单对他表示欣赏、重视的表现，让陶铸受宠若惊，又难免有些沾沾自喜。

没想到，就是张总给了陶铸最初的职场挫折。

其一，陶铸的团队出现了"剽窃"。

那是陶铸手下的一个小姑娘，姓沈，入行一年，很有灵气，又肯学，当她主动要求独立操作一个单子时，陶铸批准了。

沈的方案让客户很满意，很快，沈就在广告牌上读到自己的创意，但竞争对手 B 公司也读到了这创意。他们称沈曾在本单位实习过，其方案直接剽窃了她曾经的实习老师。他们将 A 公司告上法庭，张总大发雷霆，陶铸成为直接责任人，被派去出庭、善后。

事情虽最终调解成功——说"剽窃"太过，顶多是"借鉴"，陶铸在那儿心平气和、三刀两斧就解决了问题，但对张总埋下了不满的种子——出了事，不问清原委，先把人叫过去发一通脾气的做法，让人寒心，更让陶铸在同事面前丢了面子。

还好，陶铸很快就用自己的实力挽回了面子。

他得了一个业内大奖，是那种听到脸都会发烧的荣誉。

那天，他在办公室，接到组委会电话，举着话筒的手都有些抖了。"真的？哦，真的？"他像第一次向梦中情人表白并得到接受的男孩，一遍遍确定，在确定中露怯，"谢谢！谢谢！我一定去！"

他直起身，对团队宣布，这时，张总也从办公室出来，给他一个熊抱："恭喜，恭喜！公司创办十年来的最高荣誉！请客，请客！"

当晚，开了香槟，张总出面，公司请客，请陶铸及他的团队。

气泡冲到陶铸的脸上，他竟没顾上擦，因为张总正对他说："一场大赛把你从人海中捞来，像你这样的人才，值得公司费时费力费钱继续办大赛！"

然后，组委会就没了声音。

时间长了，陶铸简直怀疑那通电话是不是幻觉，直至获奖名单在网上正式公布，A 公司的获奖作品印在奖杯上被张总带回，他才知道这一切都是真的。

不知道怎么运作的，总之张总专程飞去南方走了红地毯。

捧奖杯的笑脸被拍下来，冲印后放大装在相框里，列在公司最醒目处。张总的发言被做成视频，公司的 PPT 简介中从此多了这一节。

陶铸气得出去喝闷酒。

啤酒"突突突"从瓶子滚进杯里，气泡溢出来，流在桌上，淌在地上，他也不觉——真恨不得把包里的获奖证书撕了。

诚然，张总不算占了陶铸的功，获奖证书两份，奖杯两个，作品和获奖人各一。但张总招呼都不打就直奔颁奖典礼，该陶铸发言的机会，他上了台，并说什么"代领"，也……也太过分了吧！这可是陶铸盼了好久，职业生涯的巅峰时刻，获奖词说什么，他都准备好了。

小沈"剽窃"的事，也浮在眼前。

被大骂、被熊抱、被哄、被骗、被塞了黄连还要装哑巴……

"出了事，就推我上前，有了好儿，就自己冲上去……"陶铸喝着酒骂着。许多日子后，在电视机前又对哥们儿回忆道："老子干脆不干了！""用句时下流行的话，那个张总'皮袍下露出的小'让我不齿，给这种人打工？"他捶捶自己的胸脯："老子只给自己干了！"

陶铸第二次辞职，邮件中只字未提原因，只说想去国外深造，张总在出差，回了一个字："知"。

"他大概也心知肚明怎么回事。"陶铸笑了笑，哥们儿是他的搭档，他们一起开超市，从小区的十元店开到方圆百里最大的超市。

创业艰辛，发展到今天实属不易，但当上老板的陶铸偶尔还是会想想平行空间的那个他现在会怎么样，比如，此刻电视里播出他曾参与的跑车广告。

他回忆着张总，也回忆着刚进 A 公司时发过的宏愿：做一个合格的广告人、优秀的广告人、成功的广告人。

啊，那时真年轻。

心理师点评 >>>

跟下属抢功劳这件事，稍微有点儿智商的上级，一般都是不稀罕做的。

上级和下属，本来就是你好、我好、大家好的共同协作关系。工作任务表现得好，说明上级领导有方的同时，下级也是响当当地执行有力，整个团队才能效益出众。

所以，在日常的情况下，像上级处心积虑地和下属抢功劳这种狗血剧情，总体上的发生概率还真是不算太大。但是，不可否认的一个现象倒是，类似这种"被上级抢了功劳"的委屈，倒是的确被很多初涉职场的新人深刻体会过。

可能是我们这一代人内心普遍有些自卑吧。

追求梦想的道路上，我们时常会奋斗得稍显匆忙，而且极度渴望掌声。刚刚参加工作的时候，都会太过看重自己手头的那点儿工作，希望尽快做成一番轰轰烈烈的大事，证明自己的水平有多高、能耐有多大，可以"一举成名"，从默默无闻的底层小员工，翻身一跃成为公司仰仗的人才，业界闻名的明星。

所以，当期待已久的那一点儿小成绩好不容易做出来，我们会产生一种虚幻的"大家都来看着我"的明星感，整个人轻飘飘的，不断地在头脑里想象如何对着台下的观众保持微笑矜持，就差准备"感谢XXX，感谢XXX，感谢XXXX"的标准台词了。

偏偏就在这个炫目的时刻，那个自私自大的上级领导，竟然厚着脸皮，先我一步总结陈辞，把原本属于"我的"功劳抢到他的头上，还假惺惺地说什么"这是整个团队通力协作的结果"，将我那么多的"个人"付出，简简单单地以一句"尤其是小李的提议很有新意"概括了之，简直是太过分了！

这种从云端到地面的巨大落差，常常会让我们脆弱的小心脏瞬间感觉很受伤。不过，还好，曾经年轻气盛的职场新人，终究也会在一次次的小打击、小委屈过后，茁壮成长为可以看开一切职场风云的资深人士，也终究会明白原来当时的自己有多幼稚，居然会误以为上司（当然还有其他同事们）项目建立、人选安排、资源协调、流程监控……等等工作完全没意义。

那么，职场里到底有没有上司恶意抢功的混蛋事呢？一定有。但你在日常工作中做出的整体业绩，大家也一定都会看在眼里。如果除了一个直接上级，你还有一个昏庸无能的大老板，那，还是早点儿走人为好。

特特说：始终和你的同类在一起

别谈上司，谈谈人和人的交往吧。

我的心得是，如果一个人某方面比我强，这种强又是我珍视并想拥有的，我会很想接近他／她。能对话、能交流、能学习，他／她肯带你，当然最好。如果不，在其身边待着，默默受影响也好——不是追星，我视其为输入方式。

成长路上，我不止一次遇到这样的人。

同龄的、师长辈，后来步入社会，工作对象、单位领导、同事……

截至发稿前，我还在和我的前领导qq上聊天。我曾比她为佟湘玉，而我是郭芙蓉，她的活力、职业精神、好的习惯至今影响我，我愿意长久维持这种亦师亦友的关系，不止是感激，是一个持续变化、发展的、正能量的人会源源不断给我带来新鲜动力。

我还有个朋友，我们见面不超过五次。

每天，我在微信朋友圈里看她更新最新的动态，她的审美、趣味，她的思考、见解，都让我激赏，我常想，她就是世上另一个我。

一日，她来京出差，百忙中，抽时间与我共度晚餐。一开始，她眉飞色舞，餐半，她黯然提及不容于某个环境，不容于某个群体，并问我如何突破。我想了想：如果想坚定信念，就首先要花时间寻找你的同类，然后始终和他们在一起。如我，找到你。

朋友若有所思。

来，我们也回到上司话题。

步入社会之初，我们懂什么？能选上司吗？很少人有机会。

所以要观望，所以要等待，所以要忍耐。

在这个时间段里，让自己成长，成长到可以用实力实现不受摆布，自由选择工作，继而选择上司，最好是你的同类，你踮起脚尖想够到、想变成的那个人：他／她比你高，方向和你一致，他／她能领导你，推你向前走。

和上司的交往，一如人和人之间的交往一样啊。

所以某人消耗你、是你的绊脚石、存在即是障碍，在你观望、等待、忍耐的成长期过去后，赶紧换掉他／她，本不是同路人，又何必互相折磨呢？

宋佳现在很胖，吃了很多中药，十年过去了，后遗症仍在。

陶铸的离职更多是不忿，换作今天，他说他会按兵不动，因为实际损失也没什么，就该等待，抓住机会让自己变得更强大些，实现一个优秀广告人的梦，毕竟当时的平台足够好。

有意思的是，对选工作还是选上司有疑问的文丽、张钦，今天都已变成上司，你看，谁能压制你一辈子呢？

在一个基层公务员的调查报道中，张钦甚至匿名接受采访，他说："对机关里的年轻人，我一般还是以保护、关爱为主，因为我也是从他们那么大过来的。"

还是那句话，没实力选择前，一看二等三忍耐，是韬光养晦，也是投资。

一旦我羽翼丰满……哼！

第四章

别害怕逢场作戏

在成年人的世界里，谁不渴望自己是主角，台下有观众？我们都太容易对自己的人生大戏过度认真，却鲜有同样的精力愿意去做他人的舞台背景。

别害怕逢场作戏 >>

办公室里的逢场作戏

故事拾捌　当心戏过了

口述人：刘粟

十年前，我出版了处女作小说《秦淮河上》。

粉蓝的封面，淡淡山水画做背景的扉页，小 16 开的开本拿着正合适——我捧着书，怎么翻也翻不够，坐在办公室里，只要四下无人，就拿出书来，慢慢掀开封面，一页一页翻过去，想象着某个读者第一次读到我的文字时的惊艳。

有一回，我捧着书陷入冥想状态时，被同办公室的王姐撞见。

她把书从我手里抄过来，看看书名，当她发现作者就是我时，情不自禁地一拍脑门，惊呼："小小年纪，才女啊！才女！"她上上下下把我打量一遍，仿佛那一刻起对我刮目相看。

在王姐的宣传下，我出了本小说的事在整个单位都传遍了。我的书也被同事们传阅遍了。每个看到我的人都对我说："大作家，你的书呢？让我拜读下？"这拜读之后，便提出了另一个要求："大作家，送我一本吧！给我签个名？"

我开始还半遮半掩，羞羞答答，后来面对大伙儿的殷切关怀，简直觉得遇到了一批知音。再碰到有人夸我的书继而索要书时，我实在无法拒绝，就干脆花钱买了几十本，再题上上下款，恭恭敬敬送了出去。

这当中要数王姐的反应最激烈。没送她书前，她想起来就问我："啥时候送我一本？我儿子还说要看看刘阿姨写的文章呢。"送给她书后，她啧啧赞叹，掀开封面，对着扉页上自己的名字以及后缀的"老师"二字又是点头，又是叹息，"拿回去给我儿子看看，我要教育他，向刘阿姨学习……"

　　一晃十年过去了，我从小刘变成了老刘。

　　这些年，我陆陆续续出了好几本书。几乎成了定规，每次出新书，我都会买上几十甚至上百本，碰到有同事索要，就欣欣然签名，恭恭敬敬呈上去。拿到书的同事，比如王姐，还会在之后的几天和我谈谈对新书的感受及心得，每当这时，我总是用心地听，脸上止不住地笑，引以为知己。

　　然而，最近这笑变成了苦笑。

　　前不久，在家收拾屋子，我突然发现有些自己出版过的书都送人了，手边已经没有存货，比如那本《秦淮河上》。我有点怅然，书店里早就没有卖的，于是我求助于网络。

　　在某旧书网，我惊喜地发现竟然真有卖家卖《秦淮河上》。看着网页上熟悉的粉蓝封面的图片，我高兴极了，几乎毫不犹豫地联系卖家，没有砍价，就立马拍下。

　　第二天，我在办公室里说起买自己旧书的事，感慨道："我还想多买几本留着，谁知搜遍所有网店，一共就六七本了！哎！"有人说，都过了这么多年，当然难买喽，有人，如王姐，笑着安慰我："你的作品实在供不应求啊！"我嘿嘿笑了。

　　这个周一，我收到来自祖国各地的零零散散的六七个信封、包裹。

　　打开形式各异的信封、包裹，我看见了阔别十年的《秦淮河上》。捧着小 16 开的书，对着粉蓝的封面、淡淡山水画的扉页，我仿佛又回到十年前拿到第一本样书时的情景。我一本一本翻着，检查有无破损和污迹。这时，我突然看到有一本书的扉页上题了字。

　　"赠王馨老师""友：刘粟"，这几个字在淡淡山水画上虽然隔着十年光阴，却不见黯淡，它无比清晰又分外刺眼——我呆了。

　　这分明是当年我送给王姐的书！

　　一时间，我觉得自己被蒙骗，气恼之极："她把我送给她的书卖了？不知道是当废纸卖的还是当旧书卖的？当初我没上赶着送给她，是她一遍遍找我要的。原来这么多年，她表面上的盛情，无论是恭维还是谈心得，或者所谓才女的称呼都是装出来的？这不是逢场作戏吗？"

　　我把书收起来，闷声不吭地坐在桌前。

那天剩下的上班时间，王姐无论是和我开玩笑还是说事情，我都爱理不理。我不准备揭穿她，也不想继续和她深交。

我现在怀疑除了王姐，其他同事或者朋友当初索要我的书都不过是表面上的盛情，赚得我的好感，营造热络的假象，只不过这次机缘巧合让我发现了王姐的虚伪，并不代表别人就一定真诚。

是啊，逢场作戏——也许他们找我要书，就像我穿了一件新衣服上班就夸我精神，几天不见，说我显得瘦了一样，都是敷衍或者礼貌。

我是不是不该较真？是没有充分领会职场上心照不宣的潜规则，还是王姐的戏确实有点过？

故事拾玖　作戏有作戏的规矩

口述人：杨景

宋哥提前几天告诉我们，这周五晚上，他要去电台参加一个谈话节目。

我"哇"的一声叫出来，既表示羡慕也表示惊讶。

打听完宋哥参加的节目名和内容，我和小李、小韩便在一旁七嘴八舌，建议他到时候穿什么戴什么，开车走哪条路线去电台比较方便，还建议他让主持人开通热线电话，有听众互动显得热闹……

宋哥边点头边呵呵笑，一听说"热线电话"几个字，便肯定地说，到时候一定会有，"你们要是有兴趣也可以打来"。我和小李、小韩信誓旦旦，向宋哥拍胸脯保证一定捧场。

转眼到了周五。

下午，宋哥提前收拾东西，准备走人。他一贯准时上下班，这让我们觉得反常，我想起电台节目的事，便在他离开办公室前关心了几句。

他见我们如此热心，显得非常高兴。他当场打电话给电台主持人，问清电台的波段以及热线电话的号码，然后和我们约好，到时候热线电话里再见。

晚上，我想起热线电话的事。

我暗叫一声"糟糕！"，首先，我家里没有收音机，也没有任何可以收音的设备——原以为别人的手机可以收音，我的也可以，现在发现没有这个功能；其次，我忘了电台节目几点开始，记着波段的纸条我没带回来，且纸条上还记着热线电话的号码呢！

于是，我给小李发短信。她说，正在给明天出差的老公收拾东西，并说："那张纸条？我也没带回来，还在办公桌上！"

我给小韩发短信，他说，有同学叫他参加一个饭局，还没结束。他又说，宋哥不会生气，那么大的人怎么会计较这么点事呢？

只好作罢。

我把手机扔在沙发上，在心里稍稍向宋哥抱歉了一下，我甚至安慰自己，宋哥也许只是看我们的热乎劲才表现出热乎，其实心里未必在乎；更或者，他现在已经把我们的约定忘了。

还有别的事情要烦恼，不一会儿，我就忘了这一茬。

周一上班，一切如常。

看到桌上平平整整躺着的纸条，我们不约而同想起周五的节目，问宋哥周五的效果。他大致说了当天的情况以及花絮，冷不丁地来了句："你们几个说好要打热线的，结果怎么没打？"

原来，我们的热心让他足够放心，当听众的电话问不到点子上时，宋哥悄悄对主持人说，待会我们会打热线进来……

我们面面相觑。我正要开口解释，宋哥一挥手，没给我发言的机会："别解释了，你们几个太滑头！知道吗？这叫逢场作戏，职场上的逢场作戏，就是虚伪！"

他给事情定了性，我们也不好再说什么，再看他的眉眼，透露着了然，也透露着不屑。

小李、小韩吐吐舌头，开始干活。

起先对于这事表现得最关心的我却又尴尬又委屈，随后陷入了沉思：我是逢场作戏、是虚伪吗？

我承认，当宋哥提到这件事的时候，我表示关心和热心，有礼貌的成分。但当时气氛感染，群情激昂，使得我容易许诺——许诺的那一刹那，我也确实想把答应别人的事做到做好。然而，一离开特定的场所，拍胸脯答应的事似乎就不那么重要了。而宋哥就是这样认为我逢场作戏，虚伪，是一个当面说好，背后敷衍的人吧。

我有我的不对。

可是宋哥未免也有些较真。

如果我这是职场上的逢场作戏，谁又能说自己就完全没有逢场作戏的时候呢？

　　宋哥曾安慰我，领导批评我的那个方案，其实有可取之处。可就是那个方案，过了几天，小李告诉我，宋哥在背后议论说"确实不咋的"……

　　就算他为了安慰我，抹不开面子，但引申开来，不是逢场作戏吗？

　　再上次，我兴奋地向大家介绍我喜欢的一部电影，宋哥找我借碟，一个月后，我却发现他根本没有看。他在还我碟时，当我面把电影拷在电脑里说"谢谢你的推荐，你看，我等有时间一定看"，这不也是逢场作戏吗？

　　我的淘宝店刚开张，他们就说，帮我推荐给朋友，然而每个人包括宋哥，msn 上挂了一天小店的地址，就再没消息……

　　这些不都是逢场作戏吗？

　　如果一定要说这叫逢场作戏，我想，出发点也是善意的，是客气，目标是为了一团和气。

如果职场完全没有逢场作戏，每个人都直白地说出自己的想法，或对别人的事情表示漠不关心，这样的职场也未必能让人顺心。

想来作戏也有作戏的规矩，一如做人。

下次，有合适的机会，我会告诉宋哥：我不是虚伪，但以后有类似的事发生，我答应你的就一定做到。

心理师点评 >>>

我们都经历过类似的闪耀时刻：小学一年级语文数学都是100分的那次期中考试、初二篮球赛场上连自己都不敢相信的三分进球；再或者高中最后一个夏天里吸引无数眼球的白色长裙……

自体心理学家认为：之所以我们大家都喜欢"被关注"，就是因为这种被他人众星拱月般的"主角感"，可以让我们的内心重新体验到婴儿时期那种被养育者高度关注的兴奋感，在耳边回响着"宝宝真棒"的那些美好时刻，我们仿佛就是整个世界最为发光发热的中心。

遗憾的是，等到我们不再是一个小宝贝，类似的事就极少发生了。毕竟在成年人的世界里，谁不渴望自己是主角，台下有观众？我们都太容易对自己的人生大戏过度认真，却鲜有同样的精力愿意去做他人的舞台背景。

因此，在日常的生活中，好不容易赶上一次大家都有兴致逢场作戏，常常也就只有主角自己会真心投入其中，忘记了别人的世界其实也有一堆"要紧大事"等着他们亲自处理。

甚至于，很多时候都是我们自己，在无意间"制造"出一些适合他人助兴的"场"，就像故事中不惜自己掏钱买书送人的小刘，等到真相大白的时刻来临，与其说，是她被这世间的人情冷暖伤到心，还不如说，是被她突然发现"原来不是主角"的人生窘境而刺到了自尊。

还是看开一些吧！对于周围人士不够认真地配戏，如果我们可以在一番尴尬之后，发现自己居然还能笑得出来，就差不多说明自己已经成熟到可以在原本无聊无奈的生活之中，找到一些难得的小乐趣来娱人娱己。等到下次再有机会上台过瘾，不妨嗨的时候尽情嗨，等到曲终人散的一刻，也不忘去跟各位非主角说声"谢谢"和"拜拜"。

再反过来说，如果生活中的某些场合，我们的确像故事里的宋哥那样"需要有个人配合"，那咱就千万记住了，一定要把身为主角的中心感（也包含了身为主角的责任感）分享给对方。至少，要把人家从茫茫人海中的"群众演员"，提升为一个和自己有很多对手戏的"男／女二号"——要认真和人家"讲戏""试戏"，要郑重其事一对一地，把需要人家帮助的时间、地点、方式、方法全都交代清楚。

　　毕竟，大家嗨，才是真的嗨嘛！

职场上的帮倒忙

故事贰拾　对不起，我帮了倒忙

三年前，汤灵刚到杂志社时，还是个实习生。

带她的老师是长她七岁的白茹，风风火火，干练，热情。那时，汤灵除了书本上的知识，业务上几乎一片空白，是白茹手把手地教她采访，写稿，如何与人打交道。实习鉴定上，白茹中肯的评价为汤灵后来顺利地留在这家杂志社加了不少分。对于白茹，汤灵感激在心，她人前人后都称白茹为白姐，她总是说："没有白姐，就没有我的今天。"

然而最近，汤灵却和白茹疏远了很多，事情要从半年前说起。

　　白茹笔耕不辍，除了工作，业余时间还在某大型文学网站上连载小说。白茹的文字感染力极强，她半自传式的小说，以其真实性很快引起了读者的共鸣。小说不仅被这个著名的文学网站作为精华贴置顶，一时间白茹还拥有众多粉丝，以她笔名命名的粉丝 qq 群就有好几个。

　　白茹的粉丝中唯一的熟人就是汤灵。

　　汤灵打从知道的那一天起，就每天晚上都上线帮白茹顶贴。上班时，只要有空，汤灵就会和白茹讨论小说中的人物、情节。汤灵甚至参与了小说主人公最后结局的设定，而白茹也习惯于从汤灵这里得到第一手的读者反馈。

　　当白茹的小说写作过半，已有好几家出版单位通过网站来询问她是否愿意出书，汤灵由衷地为她感到高兴，但白茹似乎对这几家出版单位都不感冒，迟迟未做决定。

　　一次同学聚会，汤灵见到了徐丽。

　　大学毕业后，徐丽便从事出版，事隔几年，徐丽已是业内较有名气的出版社 A 社的策划编辑。汤灵和她聊天，不经意提到了白茹的小说，徐丽便敏感地问道："网上的点击率如何？

现在进行到什么程度？"这连珠炮式的发问提醒了汤灵，她顺势问徐丽："怎么，你感兴趣？"徐丽微微一笑："你回去发给我看看吧！"

回到家中，汤灵第一时间便将白茹的小说链接发给了徐丽，甚至把网上粉丝的评论都精心编辑了附在给徐丽的邮件里，借以说明白茹小说的实力，邮件的结尾，汤灵写道："多谢你，老同学，给我一个能向白姐报恩的机会。"没多久，徐丽回邮件："我看了小说的前几章，确实不错，周二的选题会我就提交选题报告。"

汤灵很高兴，她觉得如能促成 A 社出版白茹的小说将是一桩美事。一上班，她就把这些信息告诉了白茹。

A 社名声在外，白茹乍一听激动万分，更何况汤灵的踌躇满志、志在必得也感染了她。白茹许诺汤灵，马上调整写作计划，争取早日将完稿拿出来："不会让你同学等太久！"

那段时间，白茹和汤灵越发亲密无间，达到两人友好史上的顶峰。等到白茹的小说完稿，汤灵马上发给徐丽，她比白茹更期待徐丽那边回馈的消息。

但稿子发给徐丽后，一连数周都没有消息。白茹急，汤灵更急，她一面要安抚白茹的情绪，另一面不断联系徐丽，用邮件、短信、电话一切可以想到的方式。

徐丽起初说，下周选题会上就能知道最后消息。没过多久，她又说，社长和总编的意见不太统一，再去想法子说服他们一下。她最后一次和汤灵通电话时说："可能白茹的小说和我们社的出版方向不太一致，不过这也不是定论，你再等等我。"

白茹已经有些焦躁了，她的小说自从网上连载以来一直得到的都是叫好声，她不相信也无法接受有人会对她的稿子产生怀疑。

一日，白茹说："我想了想，别让你同学为难了，把我的稿子拿回来吧。"汤灵还想最后努力一下："白姐，别急，我不相信你这么好的文章 A 社的人欣赏不了！"

汤灵后来深深追悔自己最后的努力，如果那天答应白姐把稿子拿回来，可能最糟糕的情况就不会出现。

那天，汤灵出去办事，突然接到白茹的电话。白茹问："办公室里，有一份徐丽寄给你的快递，看厚度似乎是我的稿子，我能打开看一下吗？"汤灵没怎么想，就答应了。过了一会儿，她觉得不对劲，打电话过去，办公室没人接，她再打白茹的手机还是没有接。

她知道出事了。

上班的时候，汤灵发现她的茶杯下压着两张纸，是徐丽写给她的便笺："老同学，对不起，我已经尽力了，还是没能说服总编，随信附上我们社的审稿意见。"汤灵赶紧翻所谓的审稿意见，上面赫然写着：该稿件文笔不佳，文气不畅，主题思想不明确，不予出版……

一连几周了，白姐刻意躲着汤灵，即便见面也只是客气地笑笑。汤灵知道，白姐不是一个不明事理的人，但那份审稿意见确实伤害了她。

"我们再也回不去了吧"，汤灵有些责怪自己——如果不是帮了倒忙，也许至今，她和白姐还是半师半友的关系。

故事贰拾壹　有什么能帮忙的吗？

时至今日，李小寒仍无法弄清闻瑜的真实动机。

想当初，闻瑜是这家公司第一个向李小寒表示善意接纳的同事。

比如说，李小寒入职后的第一份报告，她踌躇着是否合格，能不能交给经理时，是闻瑜热心地探过头来说："要不，我帮你看看？"那一刻，李小寒心里的某种东西被轻轻地温暖了，她充满感激地看着闻瑜。

又比如说，后来大伙儿都熟了，李小寒有一次抱怨单位的不公，其实是用开玩笑的口吻，但闻瑜却轻轻过来扯了一下她的衣角，示意她闭嘴。事后，李小寒问闻瑜为什么，闻瑜神秘地笑笑："你没看见小张在吗？他可是xx的亲信啊！"xx是单位的高层。李小寒一吐舌头，惊叹于单位的水深，从心理上便又靠近了闻瑜些。

一晃，在这家公司已经两年多，李小寒已能给新人做各方面的指导了，她从业务上已经不需要闻瑜的帮助，但闻瑜的帮忙、过问甚至干涉已经成了习惯。

　　新的考核标准公布后，经理让员工每个月都要交上自己的工作量。李小寒按照办公室主任所发的表格认真填写这个月的各项工作成果，但这时，闻瑜却偷偷在网上和李小寒说："你上个月去电台帮公司做宣传节目，填到表里了吗？"李小寒一愣，还真没有。但她又仔细看了表格，这样的工作量似乎也无处可填，于是她对闻瑜说："算啦，就当作贡献了。"可闻瑜却说："凭什么啊？不能因为单位制度、标准或者表格本身的疏漏，就忽视了你的劳动，你从电台出来都半夜十一点了，你不写谁又知道呢？"李小寒想想也是，这边闻瑜已经传来一个新表格，李小寒接收完打开一看，比办公室主任给的表格还要细致，还要完善，甚至各种工作量旁边还有一栏"备注"。

　　李小寒感激地向闻瑜发了一个微笑的表情。闻瑜打字道："不客气，我就是不想看到你多劳不得。"

　　她真是为了李小寒的"多劳不得"吗？李小寒当时就存疑。等到月末开会的时候，经理对着每人的工作量表评点时，淡淡说了一句："闻瑜和李小寒确实多做了不少工作……"

　　李小寒警觉地看看闻瑜，闻瑜却并不看她，散会后，经理把李小寒和闻瑜叫住。李小寒这才发现闻瑜填的表格和给她的那份一样，经理的话很隐晦，但能听出他的不满，他问李小寒和闻瑜，是不是对公司有意见，额外的工作量要额外的补助呢？

闻瑜事后向李小寒这样说："本来想力挺你，给你做了表，我也填个类似的好支持你，没想到被经理误解了。"李小寒笑笑，要怪就怪自己拎不清，总不能因为人家帮忙没帮上而心生责怪吧。

再接着是公司的奖励问题。

李小寒因为业绩突出，被公司奖励五千元。等到她领了奖金，神清气爽回到办公室，闻瑜看她时却眼神闪烁，欲言又止，直至一起午饭，闻瑜才神神秘秘小声对李小寒说："知道秦安琪被奖励什么了吗？去台湾旅游！"李小寒一呆，秦安琪是另一组的同事，和李小寒的业绩相当，据说奖励也是一样的。可为什么她的五千元换成了台湾游？李小寒有些费解。

闻瑜还在补充："我就是给你提个醒，别经理明明不公，你还觉得他厚待你。"

李小寒确实心里不舒服了。

这不舒服也一定会找时机爆发。

两个月后，经理和李小寒讨论工作时有些小冲突，经理说：

"公司一向对你……"李小寒"哼"了一声，她想起秦安琪的台湾游，不由得新仇旧恨都勾起来："比起秦安琪呢？您不是还奖励她台湾游吗？"

"什么台湾游？"经理诧异地说，过一会儿反应过来，"公司对秦安琪和你的奖励自始至终都是一样的，你能调查清楚再做结论吗？秦安琪拿了奖金后，就休假，去台湾旅游——她是如何花这笔钱，自己又自费多少，公司无权过问，你最好找她问清楚。"

李小寒大吃一惊，她最最见不得人的小心眼突然被人看到，而且是无中生有的那种，这让她感到难堪。等到经理叹口气，挥挥手让她出去时，她竟有些无地自容。

闻瑜正拿着文件夹走向经理办公室，在门口碰到李小寒。李小寒神色窘迫，闻瑜便满脸关切，用文件夹拍拍她："你怎么了，有什么能帮忙的吗？"

心理师点评 >>>

很多心理学家相信：在生命最初的几个月里，我们每个人都会想当然地"误认为"母亲和自己是一体的，这种"不分你我"的感觉，真的很美好，很梦幻。可是，我们不能把它随意照搬到成年以后的生活中来。有点儿智商的人们都知道，这世界上没那么多便宜平白无故让我们占。特别是人与人之间的互动过程，实际上总是存在着许许多多微妙的平衡，付出与回报是对等的。所以"帮助"这件事情呢，并不像大家头脑里第一反应得那么单纯美好。它其中，还可能包含了一种"能者"相对"弱者"的优越感，一种"施者"对于"受者"个人能力的不信任，以及对"受助者"个人价值的否定。

尤其，这些帮助总是来自固定的同一个人，每次又都是对方特意前来帮助自己，作为"受帮助"这一方的我们，后续的感觉，可能就不是那么温馨甜蜜，而常常会多出一些莫名其妙又难以言状的别扭。

比如，愧疚感。

比如，受控感。

再比如，突然发现自己不想见到对方了——没什么不好意思，这是一个正常人的反应。

健康有活力的人际关系，需要能量在彼此之间双向流淌。那些尚未等到我们开口求助，就大咧咧提前到访的"帮助"，不管它的实际效果一时间如何，从精神层面而言，它都伤害了我们作为一个独立个体的自主感，是一种悄无声息的侵入，一种不尊重。所以这个时候，我们想跑，想远离。中国东北有句老话"一粒米是恩，一碗米是仇"，讲的也是这个道理，正好可以用来解释《甄嬛传》里安陵容对甄嬛的仇恨。

尤其是像故事里李小寒所遭遇的这种"帮助"，我们还是让自己与其保持一段安全距离比较好。生活中的确有这样一种时常热心过度，但整体上不招大家喜欢的人。表面上看，他们是在追求一种界限不分、彼此融合的黏腻关系；深层次讲，这是她们被自己内心的弱小感所驱动，想要栖身看起来更为强大的人际联合之中，所以才总是通过各种方法试图让瞄准的目标相信"外面很危险，和我团结在一起吧！"

真正的朋友，才不舍得这样吓唬我们呢。

特特说：到哪里都要做靠谱的人

　　一次笔会，我认识了崔。

　　说实话，不仅我，同在笔会的女友青，都对崔的印象极坏。

　　他总是开黄色玩笑，同游时，在旅游大巴上，大家玩击鼓传花，传到他那儿，鼓声停，他被要求表演节目。他站起来，咳嗽一声，清清嗓子，道："那么，我给大伙儿说个《金瓶梅》里的段子吧！"

　　笔会期间聚餐，每一次，崔都不合时宜地大醉，醉了，话更多，段子更恶俗。散伙时，我心想，这辈子我都不要和他再见了。

　　谁知，两年后，我和崔竟有了工作上的联系。

　　崔的文章很好，有人向我推荐他，翻翻那些锦绣文字，我着实激赏，但是想想那次颇不愉快的见面，我又踌躇了：这样的恃才放旷之徒，能是好的合作伙伴吗？

作为编辑，我还是给他发了邮件，解说选题意图，指出修改方向，约定交稿时间。我默念着我丈夫常对我说的一句话："只要项目好，工作对象再'龟毛'，也要死磕／伺候到底。"

没多久，崔回我邮件，附件是已修改好的稿件。

打开刹那，我惊呆了。

见多了几乎要编辑全力修缮、从头再来的稿件（其中不乏名家），崔的文字之整洁、目录之规范、小标题之精心，让我感到他不仅有吃这碗饭的能力，还有吃好这碗饭的诚意。

"真靠谱！"我唯有这一句评价，写在回复邮件中。

直接与崔对接的文字编辑后来把他夸成一朵花：编校过程异乎寻常地顺利，几乎没有错别字；插图、封面、广告语，原不是他分内事，他也积极提供很多建设性意见……

总之，工作中的崔，与酒桌上的他，完全是两个人。

至于哪个他才是真正的他，并不重要，可能都是；但靠谱的那个分明赢得了我的敬意。

之后的合作，果然因崔的靠谱，变得愉快。唯一他不能配合的活动，是当地一个电视台的访谈，他解释："喝酒，回家路上，摔沟里了，腿断了，还在养伤。"

两个他终于合而为一，但人家生活中的小节，既然和我毫无关系，似乎也没那么重要了。

我说崔的故事，不是想诉说一个人如何在我心中挽回形象。

我是想讨论，做正事时，你公示于人的一面才是人们所重视的那一面。你不一定要成为所有人的朋友，但保证敬业、靠谱、认真，就几乎所有人都想和你搭档。

再谈谈做正事的场合吧，即职场。

你在这个场合公示于人的每个细节构成了人们最重视的那一面。我在崔身上学到了，"半小时后，给你电话"，一定半小时后准点打来；"xx 媒体的记者，我有过联系，我帮你找到他"，一定能办成；如果做不到的就提前说，不哗众取宠、不逢场作戏，哪怕一个生日的问候都记在日历上……

在职场，就用职业精神对待每一件事，哪怕与工作本身无关；如果不想打起精神做太多无谓敷衍，就从一开始做个"狠心"人吧。

第五章

别害怕现实残酷

没什么值得苦哈哈，带着一包袱的眼泪；
别指望谁都觉得你好，有问题解决问题，解决
不了就换个码头、从头再来。
生活需要浑不论，越是差生越需要这种心态。

别害怕现实残酷 >>

如果有人故意拆你的台

生活中，我们经常遇到这样的尴尬——有人故意和你作对。

携老公出席聚会，女伴却问起前男友的陈年旧事；T恤两天未换，同事却说每天一件衬衫是男人的基本礼貌；和女友从小馆子里出来，被偶遇的同事质问：怎么来这种地方吃饭？

此时的尴尬，不是一点半点。

俗话说暗箭难防，明箭一样难防。因为，你完全没有任何准备，就被别人当众伤害了。

故事贰拾贰　她为什么哪壶不开提哪壶

王芳的前男友是她的本科同学，大学毕业后，在北京一所著名的高校读研究生。

临行前，他信誓旦旦："放假了，我就回来看你。"然而一个学期后，他却提出分手，并对在家乡任中学教师的王芳说："你不过是个小学校毕业，小地方教书的。"

当时，王芳握着电话，一句话也说不出来。

此后的那段时间，王芳只觉胸口裂开一个大洞，眼前浮现着前男友的笑脸，耳畔却回响着"小学校毕业""小地方教书"的刺耳话语。

监考时，她默默发呆；上课回头写板书安静的瞬间，她会忍不住掉下眼泪。直至一日，王芳发觉《新闻联播》中出现天安门的镜头都会让她一阵难过时，轰然惊醒，决心自救，发誓不能再让这件事把自己打倒。

半年后，王芳报名考研；一年后，她考上了前男友所在的高校。

临行前，王芳做东，与昔日同寝室的同学话别。

好强的她此刻才告诉同窗姐妹已经结束的恋爱和挫败，王芳情绪激动，姐妹们不胜唏嘘。

"我考研，不是为了示威，是为了争口气！"王芳顿了顿，不禁黯然，"那段时间，我连自信都没有了。"

听到这，同学S走过来拍拍王芳的肩，带头举杯表达对她的叹息和祝福。

几年过去，王芳毕业、成家、换工作，在另一个城市落下了脚。

她带着丈夫回乡省亲，在必胜客，和同学聚会。

同学们的话题无非是三尺讲台的喜怒哀乐，而王芳却时不时谈到新写的小说、新买的房子以及新升的职位。和她比起来，除去婚嫁，在座其他同学的日子几乎没有变化。

正当王芳兴奋地说笑，停顿片刻去接丈夫深情款款递过来的一块比萨时，S突然发问："王芳，你前男友现在怎么样？"

王芳愣住，如同揭开一块旧伤疤，手停在半空中，丈夫则疑惑地看着她。

S却并没有停止的意思："你说和老公一起回来，我还以为你说的是他。你已经不是我们这样'小学校毕业，小地方教书的'，他怎么还没答应和你在一起？"S说完，得意地对其他人使了个眼色。

S的话如一根尖锐的针刺破鼓足了气的气球，王芳的脸上红红白白，诉说新生活的欲望戛然而止。

气氛顿时尴尬。

那天匆匆吃完，不欢而散。回去的路上，王芳想起多年前的伤心事依然郁闷，而面对丈夫的追问，她又无可避免地和他吵了一架。

"为什么 S 哪壶不开提哪壶？当初知道这件事的人就没几个，我信任她，才把隐私告诉她，怎么现在反成了她攻击我的把柄？"王芳既恼怒又心寒。

故事贰拾叁　他怎么尽往人家疼的地方戳

一年中的最后一天，唐编辑半夜醒来发觉脖子上一片冰凉，仔细一看，丈夫正拿着刀对着她，让她交代和某某男士莫须有的暧昧关系。

在这之前，唐编辑的丈夫对她实施家庭暴力已经不是一天两天，她的眼睛曾被打青，鼻子曾被打断，她忍了又忍，几乎找遍理由向单位请假，搪塞关心她的同事；但这一次，唐编辑感到空前地恐惧，于是她假意向丈夫求饶，第二天一早，趁丈夫不备，离家出走。

唐编辑一直没有上班，她的遭遇随之在出版社传开。

唐编辑是业务骨干，为人和蔼可亲，在同事中口碑极好。单位考虑到她的实际情况，用电子邮件和她联系，安慰她，允诺她为其保留职位。

几个月后，一脸憔悴，终于办妥离婚手续的唐编辑回到单位。同事们再见到她时，纷纷表示关心，又尽可能地保持态度平静，表现得和她走之前没什么两样。

日子慢慢过去，唐编辑心情渐渐平复，和同事说话时又开始面带笑容。

一日，唐编辑交稿，编辑室周主任复审后，对稿件的若干处提出不同意见，并要求唐编辑重新修改。

唐编辑表示不同意，她搬出《汉语大词典》，又搬出《编辑规范手册》，再拿出与稿件有关的《历史人物年谱》，在周主任的办公室，和他就存疑的问题逐一讨论。

见她说得有理，周主任觉得面子挂不住，又说不出什么有力的反驳的话，过了一会儿便不耐烦地用笔敲着办公桌。

这时，有人进屋说事，周主任干脆站起来，边拉住来者，边指着唐编辑，半开玩笑半认真地说："你看小唐，跟我较真。这小嘴真能说，以前是不是老公说不过才打人啊？哈哈哈。"

来者走也不是，不走也不是。周主任还自以为幽默地笑道："小唐是真维护作者，听说半夜还出去和作者谈稿子，是不是青年才俊？小唐有意再婚啊？"

唐编辑此时仿佛又被掌掴一次，捧着《汉语大词典》的手开始颤抖。

她无心再辩，慢腾腾把词典叠在稿子和书上，抱在怀里，推门出去。

回到办公室，唐编辑发了半天呆，忍不住趴在桌上大哭起来。

有同事走过去，关切地询问，半晌，唐编辑抬起头，摆摆手，抽噎道："他怎么尽往人家疼的地方戳啊。"

故事贰拾肆　她把同事塑造成儿子的反面典型

秦姐的儿子外国语大学毕业，所在的公司位居世界五百强之列。

言谈之间，秦姐总不免把儿子当作毕生的骄傲：高考时分数多少，英语过了几级，现在薪酬几何。只要你愿意，秦姐就会拉着你絮絮叨叨，事无巨细地汇报。

办公室新来的大学生小李和秦姐的儿子年纪相当。

和秦姐儿子不同的是，小李出身怀柔农村，所读的大学、专业都略逊一筹。但小李踏实可靠，办公室里打水扫地，复印机、传真机的修理，谁的电脑有问题，他全都包了。人人都夸小李勤快懂事，只有秦姐事事使唤他，处处不满意。

秦姐谈自己的儿子时，还总有意无意地捎上小李，无形中仿佛要把小李塑造成自己儿子的反面典型。

有同事咨询高考志愿的填报，秦姐解释"一本"和"二本"的区别时便说："你看，小李毕业的学校就是'二本'，我儿子就是'一本'。"

有人总结北京男孩的特征，秦姐便分析："北京孩子和北京孩子也不一样，你看小李家是农村的，我儿子是北京市的，做派就不同。"

小李是新人，且秦姐的这些话又没当着他的面说过，所以就算有耳闻，他也不好动怒。

直至有一天，同乘公车，小李挨着秦姐站着，秦姐又开始提起她的儿子。炫耀完老三篇——儿子的学校、工作和收入，秦姐大声问小李："你有女朋友没？"

小李点点头："有。"

"哪儿认识的？"

"大学同学。"

秦姐一下卡了壳，儿子啥都好，就在找对象这个问题上不积极。

她斜着眼看着小李，扬起声："就你一个月这点儿钱，也敢找女朋友？拿什么买房买车？我儿子比你有出息，税后八千，都怕娶不起媳妇。我跟他说，儿子不用愁，咱家又不是农村的！一套房子还买不起吗？"

公车上的人闻声都朝他们的方向看，小李尴尬地不知如何作答。

又过了段时间，行业订货会上，同事们见到了同属一行的小李女朋友。

大家热情地招呼着那姑娘，小李则在一旁腼腆地笑。秦姐闪在一边冷冷地看，小李女朋友回到自己单位的摊位后，秦姐假意热情和关切地拉着小李说："那是你对象啊？不错！不错！就是穿得有点怯（土），也是农村的吧？你们农村孩子在北京，可真不容易，以后的日子不好过啊！"

小李一言不发，扒拉开秦姐湿热的手，转身而去。

半年后，小李辞职了，出乎所有人的意料，他跳槽去了业内最好的单位，薪酬也翻了倍。

领导问他辞职的原因，小李想了一会儿，说起公车上秦姐与他的谈话以及她成天挂在嘴上的"农村孩子"。

除了领导，小李离开公司前告别的第一位同事就是秦姐。

让人纳罕的是，秦姐知道消息后，张大了嘴，却自始至终没发表一句评论。

心理师点评 >>>

如何保护感到受伤的自己，可以说明一个人的心理成熟程度。看看以下这些描述——

状态一：在日常生活的人际互动中，当我察觉到内心不舒服，我会稍稍整理自己的情绪，然后平静且清晰地告诉对方："你这样做，我很委屈／有一些生气／比较失望……"

状态二：在日常生活的人际互动中，还没等我察觉清楚内心的不舒服，就已经火冒三丈／泪眼涟涟／拍桌子瞪眼／破口大骂……

状态三：在日常生活的人际互动中，有时候我本来觉得好像一切没问题，可是突然对方不知怎么就不高兴了。哦，我刚才的这句话／这样做伤到你了？真不是故意的，别生气了好不好？不过现在回想一下：你之前的那句话／那样做，其实一样也让我很不舒服……

状态四：在日常生活的人际互动中，我觉得一切都没问题，非常好。不是这样吗？只不过，人呢？怎么大家又都不见了？哎，他们就是嫉妒我，受不了我的日子过得比他们好……

在日常生活中，我们很容易就能观察到以上几种人际冲突的互动模式。比如"王芳的同学S"和"唐编辑的周主任"，他们当时那种被控诉为"有意往人家痛的地方戳"的行为过程，背后的心理动因，大概就处在上述第三种行为模式的状态。

如果当时有人强硬地去追问他们，那么得到的答案一定会是满口否认，"我真的就是随口一说"；可是，要是换一个环境，比方说回家之后与自己的家人聊起整件事，说不定他们就会说出："你说她怎么也不想想我的感觉……"

以上一番过于简化的野蛮分析，并不是为了说明"同学 s"和"周主任"为人多么不地道，以无辜的表现掩饰内心的好奇。如此推测，只是想带着大家暂时跳出叙事者的单方视角，与整个事件的发展保持一点距离，再去重新发现当时发生了些什么。

系统派家庭治疗师喜欢说：生活中的许多伤痛都是"冤有头，债无主"，十分经典地描绘了类似"人人都是受害者"的互动模式——在我们大家的心底，都有一些特别柔软的地方，经不起外界哪怕是最为轻微的一下碰触。

所以，在很多时候，当我们被他人无心"弄痛"了，可能责任至少有一半要自己扛，大家有可能真的没有预计到你会如此受伤。

因此，如果我们将来再遇到类似的打击，感到自己一时难以承受，无妨当场就用言语表达清楚自己的不舒服。这样做的好处有二：一是可以给对方一个澄清的机会，也许人家并不是蓄意伤害；二也让在场的其他人同时知晓："这个话题对我来说暂时不能接受，我不想再次听到，也开不起玩笑。"

当然，还有比"状态一"更为理想的状态，就是跟着大家一起笑一笑那个曾经软弱不堪的自己。不过，能够这样去做的大前提，是我们差不多已经疗愈了自己的伤痛。

办公室：我的龙套还要跑多久

故事贰拾伍　我想当主角

晏铃阴差阳错，找了份某大型国企综合管理部的工作。

所谓综合管理部，前身是总经理办公室，但业务越来越多，除了应对文山会海，还要兼管人事、宣传，甚至连工资表也要兼做，于是干脆更名。而所谓阴差阳错，源于晏铃的专业和手上的工作完全不相干，她学的是物理，如今做的呢？用她的话来说就是"大丫鬟"。

刚来那会儿，晏铃真的像个丫鬟。

她是小字辈，办公室里复印、发传真、接电话，开会时端茶倒水、聚餐时订房间等杂活都是她干。同室的张姐、李姐、王哥看起来对晏铃都不错，但谁都能使唤她，这样说吧，只要有人喊"谁来帮个忙"，这个"谁"就特指晏铃。

半年后转正，写总结时，晏铃发觉词穷。每天都在忙啊，每天都笑得脸上一小块肌肉疼，为什么落笔时竟没什么可写？晏铃扶着头，想了想过去在学校的日子，那时，她当班长、学习、参加社团、组织活动，每天她都知道自己要干什么，每个学期结束都有成绩单或奖状来证明干过什么，现在呢？时光如流水，如白开水。

更可恨的是，同事总将她的名字喊错，有时是"小张"，有时是"小王"，晏铃知道这都是以前在这儿工作过的人的名字。哎，她越发觉得自己像个千人一面的龙套。

"哪怕当丫鬟呢，也有柳五儿和金鸳鸯的区别。"晏铃握紧拳头，"不能总有我行，没我也行，我要做一个重要的人。"

怎样才能变得重要？只有去做最重要的事儿。

晏铃想了又想，通过这些日子的观察她已知晓，综合管理部的核心任务是写各式材料，而好笔杆子难求，领导不止一次地表达了对现有汇报、纪要、规章写作的不满。晏铃是理科出身，但文字功底一向不弱，她的问题在于怎样掌握这类文章的写作模式，以及让领导知道自己有意向此方向发展。

晏铃向领导提出借阅以前的各式报告时，领导有些诧异，但目光中明显流露出鼓励。"现在的年轻人就是机灵！"领导感慨地说。

此后的事不难想象，一个又一个深夜，晏铃嚼着糖提神，一个字一个字在电脑上敲，第二天早上再忐忑不安地呈交给领导，悄悄观察领导的脸色……说实话，报告总是枯燥，但晏铃看着人手一份自己写的东西时，又有一点满足感——我不再是可有可无的人。后来这工作任务竟完全落到晏铃一个人身上。

晏铃变成了办公室里最忙的人，但忽然间，也成为最有权挑活儿的人。打杂的事即便她想做，但电脑里文档已经打开，标题已经写好，找她做事的人话到嘴边也只好咽下去，只剩一句"你忙吧"。

除了这些，还有别的好处。比如，每逢重大会议或活动，她的任务和别人不一样，也就被特批只做自己的事儿，倒也省心；又如倒休或晚来点，早走点，领导都笑眯眯无意见，晏铃的时间、节奏比别的同事宽松许多；更重要的是，渐渐地她把宣传这块儿的事情也接过来了，和各大媒体、单位各部门打交道，组织、协调、沟通，晏铃觉得她和两年前刚工作时完全不一样，老练也干练了许多。

不过，日子久了，晏铃又有些茫然。

她在思考自己的核心竞争力。她的工作干得是不错，但做得再好也敌不过国企论资排辈的老规矩，前途在哪里她不知道。万一有一天，她想离开现在的单位，走出去，她还有多少资本和别人竞争。还有，办公室、宣传工作说起来是万金油，她没有专业感，当笔杆子，做传声筒，她已心生厌倦。

晏铃又像当年一样，埋头苦想。

单位、部门就是她的平台，这平台唯一让她觉得有亮点、有发展的工作内容就是人事。这些年，人事管理的相关政策不断出新，单位没有专门的人力资源部，而照现在的发展趋势……平时，晏铃也多多少少能接触一些相关工作……晏铃决定报考人力资源师。

单位成立人力资源部时，晏铃是唯一一个有证、有相关工作经验的。

综合管理部的领导不愿放晏铃走，负责组建新部门的人力邀她加入，一切像是甜蜜的抉择。这时，整个单位不再有人把晏铃的名字喊成"小张"或"小王"，晏铃在博客里写道："哪一件事不需要策划或经营呢？只要你想做好。未雨绸缪、审时度势，不仅为了谋生，也为取得自己生活的安排权——我想当主角。"

故事贰拾陆 二茬新人的龙套戏

张闫博士毕业后在家乡工作。

一个偶然的机会，他被外派至上海的某研究所交流学习。他年富力强，人又机灵，领导很快看上他，一日，看四下无人，问张闫愿不愿意接受调动，张闫受宠若惊，一口答应了。

办手续、爱人跟着辞职、卖房、租房、买房……
来上海重新开始一切。

调张闫来的领导被他视为再生父母，且不说工作的分内任务，也不说可做可不做的事，业余时间领导一个电话都能把张闫从城南叫到城北忙芝麻大点的小事。一次，他让张闫帮忙接送孩子上学放学，中途又来电话让张闫为孩子去商场挑个睡袋，张闫无所谓，但被同事张三看到了，领导的孩子跟在张闫身后，张闫逐一拆开睡袋的包装，询问售货员异同，张三若有所思对张闫点头微笑。

回到单位，张闫发现张三正对李四进行现场复原，说得有鼻子有眼，"哎，虽说都是知识分子，背后也爱八卦，知识分子扎堆，是非一样扎堆啊"，张闫想。这时听到"领导心腹"的议论传来，张三和李四还在叽叽咕咕。"是心腹大患吧！"张闫干脆从背后拍了他们一下，面面相觑，随即三人赶紧哈哈了事。

此后，张闰就很注意。

为了表现出就是个热心人，绝不是为了讨领导欢心，办公室里谁需要帮助，张闰都伸出友谊之手。慢慢地，修电脑、搬东西、送资料、写材料、准备会议、谁都不愿意出的差……体力的、脑力的，张闰都成了不二人选。

起初，他很享受，就像春晚小品里《有事您说话》里傻呵呵的哥们为得到人们一句"谢谢"而欢欣鼓舞，但很快他发现，琐碎事务占用了他太多时间，他的分内事只能在加班时才能完成，上班时几乎每隔几分钟就被"张哥，帮我个忙""小张，我在外面，明天的审核报告你来捉笔"等请求、命令而打扰。到新单位一年了，拿得出手的科研成果竟没有，看着比自己毕业晚，但进此单位比自己早的同门师妹硕果累累，张闰急了。

又一个项目组成立，核心人员没有张闰，却赫然有师妹——当年，在学校他的小跟班，时时处处向他请教问题的她。

在前单位是骨干的张闰，顿时感到委屈、彷徨、哪里不对，严重不对，再不能这么下去。

"我这么折腾，从家乡到上海，一家人一切从头再来，总不能一辈子做个龙套吧？"这个周末，张闾窝在沙发里，任午后阳光细细碎碎透过百叶窗洒在他的脸上、腿上。

"我现在就是个通房大丫头"，他继续抱怨，不知为何，年少时胡乱翻过的《红楼梦》，"通房大丫头"的词儿突然蹦进他的脑海蹦出他的口。

妻子扑哧一笑，问："谁对你潜规则啦？"

"没有"，张闾被妻子笑得莫名，"就是哪个部门都能用我，哪个领导都能差遣我，哪个同事都能找我帮忙……我就是各房都能用的大丫头！"

妻子笑得更厉害了，解释："文盲！《红楼梦》里的通房大丫头指的是丫头的名儿，姨太太的实！通房是能和老爷、少爷同房的意思！"

张闾也笑了，又颓然："哎，我现在和文盲也差不多了，就是个店小二！"

夫妻二人继续闲话。

妻子劝张闾忍耐、伺机寻找翻身机会，可能一开始定位就错了，糊里糊涂人才成为龙套。"实在不行就再换个单位？"她拿出最下策。

张闻却摆摆手，他说，他已想过再跳槽，但他的年龄——毕业好几年了，再去一个新单位做新人，喊比自己年纪小的人"老师"，张不开口，心中也不忿；而且，换个单位想搞好干群关系、同事关系就还得重新从好好先生做起，"岂不是还要跑龙套？那我这一年的龙套岂不是白跑了？反正二茬新人总是尴尬！"

心理师点评 >>>

职场新人，不一定全都是要跑龙套的。

让我们换个角度想一下：用人单位千挑万选，花钱把一个人从劳动力市场上"买"回来，结果您成天到晚只做一些跑龙套的闲杂事等，单位的这桩买卖岂不是亏大了？

有些职场新人之所以日复一日"发展无望"，就是因为他们一方面，总在抱怨自己天天跑龙套，而另一方面，却缺少主动定位自身发展方向的头脑和眼光，总是"渴望"有朝一日领导开恩，把自己"安排"到一个闪闪发光的舞台之上。拜托，想在职场上被委以重任，就请先帮助领导建立起对你的工作能力的基本信心。

有意思的是，很多从小被老师家长夸赞着长大的"好孩子"，更容易在初入职场的岁月里充当莫名其妙的龙套演员。究其原因呢？除了缺少职业发展的方向感之外，在他们的个性之中，还有过多的对于外界夸赞的渴望，在人际交往中界限不清，比较容易顺从他人的意见，在许多原本可以礼貌拒绝的情况下，难以坚持自己的原则。

就好像故事里晏铃一开始的状态：办公室里此起彼伏的"谁来帮个忙"，似乎对她来说，就都变成了立刻需要完成的使命。遗憾的是，你越是去多做"不重要"的杂事，人们越是会把你看作"不重要"的人。所以，千万不要把"职场新人"的标签，在自己脑袋顶上贴太久，尽快找到该做的重点工作，才是一等一的正经大事。

此外，精神分析还有一个放之四海而皆准的基本理念——我们每个人都在自己的症状之中获益。直白一点，就是说绝大多数人们的痛苦都是自找的，可怜之人必有可恨之处，那些让他们私底下偷着乐的地方，却一直装没看见——否则的话，谁也不是傻子，只有痛苦的境遇，早就想方设法去改变了。

我们差不多可以说，这些"喜欢"跑龙套的人（不管他们嘴上承不承认），通常都有一颗比较脆弱的自尊心。如果有谁对他们手头的工作提出一点点的不同意见，他们就立刻解读为对方对自己整个人的无情批判。所以，还是干脆去做些小事稳妥啊！不用直面如此惨淡的人生了。

特特说：生活需要浑不论

高三之前，我都是差生。

多么差呢？高二分文理科班，数学 150 分的卷子，我考了 29 分。

至于日后如何进行的高等教育，待会儿再表，当时当地，在那之前的好些年，我都在"你不好""你不行"的评价中长大。

不是不遗憾的。

谁不想在老师期许的目光中走上讲台领取最高分的卷子？

也没什么遗憾，成年之后，尤其走向社会，独自谋生，我挺庆幸年少时差生的经历给我以强悍的神经。

非议、批评、大家都不喜欢你……

没关系，小时候遇到的比这多多了。那时不能随性转学，现在起码我能跳槽吧？

总在打酱油、重要的事轮不着自己……

就当在数学课上看小说，唯一的尴尬不过是突然被提问瞠目结舌吧？

以上都是我曾有过的心理活动。

未必健康、积极，但在特定时期，一定程度上真能缓解焦虑，麻醉脆弱的自尊心。

凭那一点麻醉效力，就有足够的时间调试自己、观察周遭——先破罐子破摔，再从谷底挣扎起来，因为有破罐子破摔垫底，无论需要挣扎的是舆论环境还是业务能力问题，都显得毫无负担。

到了"再表"的时间段。

年少的我终究因为受不了一个优等生对我智商的质疑、鄙夷，怒而发奋。

高二的暑假，点着煤油灯（新建的小区，电压不稳，总停电），拍打着蚊虫，我把学过的数学书都抄了一遍。我妈妈是会计，她将用废的增值税表格带回家给我当草稿纸，我在纸的反面抄写正弦余弦，那一章用的纸叠起来就有一寸。

高考时，数学书上的所有例题我都会默写。

高三下学期，我甚至还得了一张三好学生奖状，这也是这辈子唯一一张。

成年以后，这段经历一直给我勇气，一切逆境，只要有人为可以改变处，我就相信能扳回来，这是曾为差生的心理福利。

我的家乡合肥有句土话，"好大事"。

意思是，有什么事算大事？

我喜欢这种浑不论的精神，没什么值得苦哈哈，带着一包袱的眼泪；别指望谁都觉得你好，有问题解决问题，解决不了就换个码头、重头再来——生活需要浑不论，这大概是我做差生时的思维惯性。

第六章

别害怕停滞不前

安于现状的人，会多些不安全感。如果早思考，早打算，早做应急措施，比如多一些傍身本领、多一些储蓄，那么，经济危机也好，感情危机也罢，都不至于狼狈以对。

不安于现状、自我期待较高的人，如果事事往好处想，多点对寻常、已拥有日子的踏实感，则我们能在已牢靠的人生基础上整出点花样，不必大动筋骨，也能多姿多彩。

别害怕停滞不前 >>

突然改变的宅生活

故事贰拾柒　如果不是金融危机我的生活不会如此大乱

小D宅了七年。

七年前，她和大学同学Y相恋，靠Y父母提供的不菲生活费，倒也过得滋润。

从那时起，小D便无心学业，每天的生活就是上网、打游戏。大学毕业，小D随Y回到北京，她学的是会计，却连起码的资格证书都没有，很难找到工作，她就继续宅在家里，重复着过去的生活，还迷上了淘宝购物。

Y的父母曾给小D介绍过一份工作，然而，只半个月，小D就辞职了。Y给她报培训班，让她考证，但每次都不了了之。

Y 和他的家人不止一次劝小 D 先找份工作做着，但她不是哭就是闹，说急了，便扬言自杀或绝食。

这些年，小 D 所有的开销都是由男友 Y 埋单。作为一个女孩，她除了要吃，要喝，还要打扮，要娱乐，好在 Y 的收入不错，维持两个人的生活绰绰有余。小 D 为此得意扬扬地向同学、朋友炫耀"被老公养着"的幸福，却不知道，一分钱也不挣，"还花得不少"的她已成为男友 Y 心中的一根刺。

Y 所在的公司受金融危机影响，2008 年下半年开始裁员。虽然 Y 所属的部门还没动静，但年底 Y 没有一分钱的年终奖，这预示着前景不太乐观。Y 开始觉得有压力，他希望小 D 找份工作，分担他的压力。

可是小 D 已经习惯了宅生活。

她答应 Y 找工作，可又舍不得每天睡到自然醒的状态；她害怕和陌生人打交道；花钱花惯了，对一千多元工资的工作实在看不上眼，高薪的工作又找不到。更重要的是，小 D 根本不知道怎么找工作，连简历都不知如何填——怎样交代这虚度的几年呢？

小 D 不自觉地开始逃避，她每天确实都去招聘的网站浏览职位，却也只是浏览、收藏，然后眼睁睁地看着职位过期。

其实 Y 对小 D 的期望并不高。他觉得，只要小 D 降低标准，就算形势不好，也能找到工作，只要有工作，甭管挣多少钱，都比待在家里好。

但小 D 连简历都没做，又在淘宝网上买了一堆东西。Y 失望透顶，搬回了父母家，断绝了给小 D 的经济援助，小 D 一下被推向失恋和没有经济来源的双重困境。

她夜不能寐，以泪洗面，觉得委屈。这些年，虽说没工作，可家务都是自己做；虽说自己不挣钱只花钱，可花的都是小钱——买的东西从没超过两百。前前后后七年，自己最好的时间都奉献给了 Y，现在什么都没有了，她近乎崩溃。

钱很快就花得差不多了。

小 D 不得不对着电脑，爬梳任何一个可能的职位，哪怕低薪；她一有机会就挣扎着早起，去参加哪怕希望渺茫的面试。

她甚至留心门口饭馆是否有招勤杂工的启事，她在超市买东西时，也开始拣最便宜的买。

北京的冬天分外寒冷，小 D 从地铁车厢出来，从拥挤的人群中拽出自己的围巾和包。

上个月还每天除了吃睡长，什么都不想，现在却每日奔波，不在乎能找到什么工作，只要有工作就行。

想到这，小 D 有点恍如隔世，心想："如果不是金融危机，我很快就能和 Y 结婚，不会分手；如果不是金融危机，我的生活也不会如此大乱。"

故事贰拾捌　如果不是金融危机我不会和从前判若两人

王婷以前做医药代表，工作累，婚后不久就辞了职。

起初还想再找工作，但休息了几个月，就不想再动；老公挣得不少，家里也不需要她的那份收入，她这一歇就是五年。

五年来的每一天，王婷重复着睡觉、上网、做饭、购物等宅活动，有时上网入了神，她连饭也不做，干脆叫外卖。老公管她叫"大小姐"，她自称"过得像二奶"。

老公所在的外企去年受到金融危机的冲击，虽说他所在的技术部门暂时没有裁员，但其他各个部门都开始陆陆续续地走人，业务量也减少了。从天天加班到不再加班，从很忙到渐渐不忙，老公回家时不免长吁短叹。

一次，老公对着信用卡账单，刚嘱咐王婷以后要省着点花，却又听到王婷说，手机丢了，要再买一个，他忍不住说了王婷几句，把多日来怕裁员、怕失业的郁闷和盘托出。

老公长吁短叹时，王婷便再也坐不住了，她总疑心老公含沙射影,一听到老公说郁闷,她就心如刀割。于是,王婷在网上继续游荡时,开始琢磨如何增加家庭收入。

五年没上班,再上班,且不说工作多难找,自己的适应能力也是个问题。王婷想结束无所事事的生活状态,却也不打算再去找朝九晚五的工作。

她请教那些开过网店的网友,确定自己熟悉又喜欢的业务范围,调查清楚如何进货以及大概价位后,就瞒着老公,在网上注册了账号,做起生意。

老公还是知道了,却也没把王婷的生意当回事。可王婷不再像过去那样天天睡到中午起来,而是老公一上班,她就准时起床,打开电脑,时时刻刻守着网店,和买家交涉,尽可能多地提供更好、更快的服务。

王婷的网店开始只卖衣服,后来兼卖包和化妆品,她想挣钱,又有时间,服务态度好,从最初只有零零散散的客户,发展到五星卖家,日子久了,赢利多了,王婷便在小区开了家实体店。

王婷每日守着自己的小店,从收钱、招呼客人、布置店堂到扫地、擦窗子什么都干,有时早上 6 点就得去进货。小区里都是熟人,对王婷信得过,不能说生意蒸蒸日上,也起码状态平稳。她的网店也没有停,经常她一边发快递,一边招待实体店里的客人，刚送走客人，又回到电脑前关注买家的消息。

她总对老公开玩笑说，别担心金融危机，就算被裁员，大不了回家开夫妻店，可她又情不自禁地想，如果不是金融危机，老公的单位受到冲击，继而给她的家庭带来危机感，她又怎么会结束宅生活？怎会有声有色地开始现在的事业，和以前判若两人？

故事贰拾玖　如果不是金融危机我不会就这样突然放假

阿蔷觉得工作太累，她不止一次发誓，再干两年，就辞职，考博回到学校，或者什么都不干，就宅在家里。

她在一家投资银行做证券分析员，每天对着电脑，浏览国际经济报道和各家上市公司的财务报表，一天只有四五个小时的睡眠，职位低得连顶头上司的秘书都能对她眉眼高低。要不是看一年四五十万元的收入，她早就不想干了。

阿蔷羡慕那些毕业后做编辑、记者的同学，不坐班；她羡慕一早嫁个好老公的女朋友，做全职太太，养得唇红齿白。

三年了，自从研二开始在这家银行实习，继而留下工作，阿蔷还不知道什么叫休息。

所以当她从经理办公室出来，得知被裁员时，表现得极为平静，她甚至安慰自己：反正生活不成问题，裁员就当放大假，现在形势不好，随便找个工作也没意思，就待在家里，过过渴望已久的宅生活吧。

宅生活，还是阿蔷读书时的生活状态，那时，她看碟能连续 72 个小时不出寝室门；在论坛混，不知不觉就过了一天，吃饭只管叫快餐。

可是阔别三年，过惯了白领忙忙碌碌的生活，阿蔷发现，突如其来的宅生活，却怎么都不对劲。

比如说，她想享受一下每天睡到自然醒，却还是按照原来的时间准时醒来。醒来的瞬间，她下意识地从床上弹起，直奔洗手间快速刷牙洗脸，但稍稍清醒，如冷水拍到脸颊的刹那，才突然意识到根本不用去上班，那一刻，挫败、失落、无聊、无奈，五味杂陈。

一天又一天，阿蔷总是打开电脑，无聊地浏览网页，或是极仔细地做家务，用"扫雷"的态度对待家里的任何一个卫生死角。

一天很容易就过去了，而一天之中，阿蔷最盼望的就是男朋友回家。

她总是把堆积了一天的郁闷向他倾诉，或是又想了一天没解决的问题再次抛给男朋友——公司是裁员了，但总有留下来的，为什么走的人是我？要是我一直找不到工作怎么办？你会养我吗？一直养我，会嫌弃吗？

久而久之，男朋友除了安慰，就是找借口晚回家。

男朋友的妈妈和阿蔷的父母，很快在各自儿女的诉苦中也得知了阿蔷失业的消息。

老人家们对待阿蔷的态度高度统一——"钱够用吗？""赶紧找工作啊！""为什么当初不找份稳定的工作？""在家考公务员吧！"

阿蔷烦不胜烦，老人家的担心、关心加重了她的心理负担。

她觉得自己实在不适合宅在家里，她必须重新工作，哪怕待遇不如从前。

阿蔷开始做简历、发邮件、积极准备应聘，找不找得到工作，她并没有底，但她很清楚，当金融危机把渴望已久的宅生活送到面前，她只觉得窒息，急切地想结束它。

心理师点评 >>>

当生活状态被动地发生改变，会严重打击到我们自己的把控感。

真的，不是每一个家庭主妇（当然也包括家庭主夫）都会沦落到文中小D的状态。现实生活中，搞投资、玩公益、学知识、长能耐……利用宝贵的几年居家时光，把个人成长和家庭建设结合得有声有色的全职太太多了去了——生活是一件艺术品，过好日子，很多时候比完成工作业绩还不容易。

其中的关键，还是要看当事人每天早上几点起床，以及起了床之后，又把接下来的每一个小时都用在什么样的事情上。

"当你感觉过得特别舒服的时候，你就危险了"——职场上很流行的一句话，放在生活之中也同样适用——太过舒服的生活，常常意味着生活内容的苍白和单调，而过于苍白单调的生活内容，反过来，又无法给我们带来较为深刻的内心满足，比如，个人自信心的积累和价值感的确认。

一个整天无所事事，只会打开电脑逛淘宝的人，必然是连他自己都无法相信自己，可以去挑战其他相对更有难度的事情。于是，越是没有价值感，就越需要从外界获得确认。为什么那些整日里追着老公问"我天天为你们洗衣做饭容易吗"的家庭主妇特别招人烦？就是因为她们总是需要别人"给予"价值感。若是把这些唠叨的工夫省下来，就算不去赚钱，做些自娱自乐、有助于增进自我价值感的事情，整个人的状态也会好很多。

除此之外，文章最后阿蔷的故事也很有意思——那些天天喊着要放假、要休息的人们，果真放假以后也未必能够享受几日清闲。这也说明，绝大多数的"改变"还是不要发生的好，哪怕是我们口头上一直吵吵着万分渴望的。我们绝大多数的普通人，常常都背负不了愿望的实现，反而更喜欢一边抱怨着现有的生活，一边努力着保持一切维持原样。

做时间的主人，的确是一件很需要花心力的事情。日复一日忙碌的工作，常常是"杀死时间"的最佳途径。日常事务性的繁忙，可以让我们不必思考太多贴近人性的复杂问题：比如我还有什么人生梦想？还有多少遗憾一直没去尝试？若是意外得空儿可以认真考虑一下，其实也是很不错的。免得将来等到退休的时候，就算想明白了，也着实有点儿晚。

三十边上的恐慌

故事叁拾 临近三十，我依然单身

口述者：芮雪

职业：教师

十年前，躺在大学寝室的木板床上，我和室友们一起卧谈，卧谈的主题是："要找个什么样的老公。"

那时，寝室里一共六个人，三个有男朋友，三个没有。然而，有男朋友的，觉得未必长久，还可能换人，不免有些别的想象；没男朋友的，则充满憧憬，以我为例——我说得兴起，干脆从床上坐起来，指手画脚："他必须勇敢、爱护妇孺、有情有义、篮球打得好……"

十年后，我还经常想起那场卧谈，那晚，每个人甚至规划了今后的老公是做什么职业的，但后来似乎谁嫁的都和规划的不太相同，只除了我——我还没有嫁，至今为止甚至没谈过真正意义上的恋爱。

我觉得委屈，有时候想怪社会，最起码要怪教育体制——青葱岁月全部用来学习，老师防早恋像防贼；父母呢？大学毕业前坚决不许恋爱，大学毕业后，恨不得马上你就能结婚，天下哪有那么容易的事啊？

出手太晚，错过恋爱的最好时机，这是我认为至今没有嫁掉的关键。

还有工作。

我在中学教了八年书，也做了八年班主任。每一天早上七点学生早读，我六点半就得到学校；晚上，学生五点半放学，我起码六点才能走；回到家还要改作业、批卷子、家访；遇到毕业班，该睡觉时，我还会失眠——我的时间完全被工作占据。

因为工作，我所能见到的男性实在少得可怜，除了同事就是学生家长——前者抬头不见低头见，没有一个能和我来电；后者是来电也没有用；所幸单位的大姐大哥还算热心，他们介绍来的各路对象，这些年把我有限的假日排得满满的。

马不停蹄地相亲，马不停蹄地失望。

我已经习惯，走向饭店的一角，对那个桌前等待的人说，我是某某某；然后握手，然后落座，然后不一会儿，就和对方把自己的学历、工作、相貌、身高、收入、户口、房子和车等等情况一一交待。

一开始是我挑别人，后来是我被别人挑。

有的见了面就不再联系；有的断断续续联系了，又无疾而终；还有若干，交往了几个月，说不出来哪个地方不合适，却也绝对没有什么特别合适的感觉，我不甘心就这么随随便便嫁了，最终还是断了联系。

转眼就快三十，虽然今年以来，我报年龄时都这样说，"我二十九岁零一个月""二十九岁零两个月"；临近三十的每一寸光阴我几乎都掰着花了，却也无法推迟三十岁的到来——在这座小城里，我名副其实算是"老姑娘"了。

父母每天在我耳边唠叨，亲戚们开始是劝我找男朋友、结婚，后来渐渐不提——我想他们怕刺激我；同学们一个个成了家，聚会的理由也从婚宴变成了满月酒；单位里比我晚几年进来的同事一个一个结了婚，有时小张或小李让我帮忙带课，会说"赵姐，我要去做产前检查""赵姐，我婆婆病了，我要送她去医院"，这样的话我听来都刺耳，又有点自卑——哎，他们都是有自己小家的人了，可是我的爱情鸟什么时候才能来到？

故事叁拾壹　三十岁，我是一条首尾分离的鱼

口述人：刘夙夙

职业：制片人

作为一个三十岁的女人，无论从哪方面来说，我都达到了幸福的刻度。

论学历，我研究生毕业。

论工作，我所拥有的国家级影视制作单位的正式编制万金难求；从业四年，我的职位从电视节目编导升为制片人；上司器重我，同事尊重我，我的团队信任我。

论起家庭来，我也不输给任何人，老公王磊是公务员，收入稳定、风度翩翩。我们恋爱、结婚，一气呵成，其间几乎没有受到任何波折，至今感情良好。

按理说，像我这样家庭稳定、事业顺利的女人，在三十岁到来时，应该长吁一口气，向生命感恩。可随着三十岁的到来，我常感到力不从心，我总是想起曾经看过的一篇文章《一条鱼能做几道菜》——鱼头、鱼尾、鱼背都分割开，最后能拼出一桌席。

我就是那条鱼，工作、家、上司、同事、亲人将我首尾分离。我把自己付出，做成一桌体面的席，满足了他们的胃口，还要被他们挑肥拣瘦——这是我三十岁来临时最深切的感受。

首先是我的工作，我每天一睁眼想到的就是它。

每隔一段时间我要冥思苦想，从深度和新鲜度出发寻找、确定选题；我联络摄影和编导、联系采访人、安排采访；如果出差，食宿、交通由我统筹；拍摄完毕，后期制作，我全程跟踪。上司的要求我不能不听，上级主管部门的条条框框我不能不遵守，市场导向一定要遵循，我的工作既需要脑力，也需要体力和精力。

二十出头的时候不觉得，年纪一天天大，常常加班和出差，又要负责小团队的一切事务，我确实有身心都在透支的感觉，我常忍不住地想，过了三十，我还能坚持几年？

我的家庭呢？它也不能让我后顾无忧。

王磊是个大孩子，他是第一代独生子女，在溺爱中长大，脾气不好，依赖性强，动手能力差。

在单位，王磊是严谨、干练的政府工作人员，工作压力大，不容有半点闪失，他就把堆积的负面情绪带回家，向身边最亲近的人发泄，以前是婆婆，婚后，变成了我。婚前，王磊没有做过家务，他既不会把家里弄干净，又忍受不了家里不干净；于是家务我一个人做，他什么都不做，却稍有不满就会发脾气。

家里所有的开销，我负责规划。水电费什么时候交，房贷哪天还，甚至还多少，王磊统统不知道。他把工资全部交给我，就自认为完成了任务，他随意随性地刷信用卡，虽然买的都是小东西，但积少成多，屡屡打乱我对家庭开支的规划。我跟他分析家庭的发展，他却告诉我，"不自由，毋宁死"。

我上班要为选题忙、拍摄忙，下班要为卫生忙、精打细算忙。我的时间被切割成两块，白天属于工作，风风火火几乎没有时间休息——起码脑子不能停顿；晚上属于家庭，做家务、盘算家庭开支、还要做老公固定的听众。

有时，两方面的时间发生了冲突，我的两方面的领导都会有意见。比如，一次，我加班到夜里十一点，刚打开门，王磊就把我推出门，他说："你还回来干什么？回去工作吧。"他看到老婆整日工作不沾家就不高兴，而我又气又累，拖着疲惫的身体在冬夜的大街上游荡了几个小时，突然想起来这一天还是我的生日。

又比如，婆婆生病，王磊参加一个重要的会议，只能我带婆婆去看病。我一边挂号，一边忙碌地应对工作电话，而回单位后，上司批评我："刚才有急事找你，电话占线，人也看不见，怎么回事？"

我不知道家庭、工作把我切割开来平分一半的日子什么时候能结束，或许才刚刚开始。而三十岁来临，让我不得不正式面对这样一个事实：三十而立，我们这代人已经成为社会的中坚力量，在单位我们是骨干，在家庭我们是顶梁柱。我要满足所有和我相关的人的要求，就只能牺牲自我，做一条首尾分离的鱼。

可是，这就是我希望得到的生活吗？

故事叁拾贰　这就是我要继续的生活吗?

三十岁，我才刚刚开始

口述人：谢金龙

职业：编辑

虽说距而立之年还有几个月，可想想近况，我不由得有点慨叹——"一事无成身渐老"。

时间太经不起花了。读书、毕业，再读书、再毕业，等我戴上博士帽时，已经年方二七——二十七。在北京工作不好找，研究单位或高校人才济济、人满为患，我根本无法跻身。这时，去一家大型国企做文秘便成为我最好的选择。

我的专业是历史文献学，然而我的工作却和它并无相关。

做会议记录、写会议纪要、给领导写发言稿、定期做单位的简报、根据上级主管部门的需要写汇报材料，这就是我日常工作的重头戏。多年来学习培养我的专业知识和思考能力，完全派不上用场。每天面对那些枯燥的文字、官样文章、大同小异的套话，无趣，又没有什么技术含量，我觉得我年轻的生命在白白地浪费，我的激情快要枯竭了。

而领导动不动就耳提面命把我当小学生一样训斥，让我时常萌生"斯文扫地""毫无尊严"的想法。

迎合领导的心理，按他的每一步要求去做是我工作的主旨，当我又一次在饭局中为领导挡酒挡到吐，我扶着洗手间洗脸池的边缘看镜中的自己时扪心自问："这就是你想要的生活吗？"

我要改变现状。

我想跳槽，几次反复，我想转行，虽然我快要三十了。

快要三十，可我还有理想。

我虽然学的是历史文献学，但我热爱文字，只有每天写点什么，我才能快乐。

做编辑这两年，千万字在我的笔尖流过。日复一日，我的红笔在小四号宋体字的行与行中画出一条横线，画到一旁的空白处圈成一个圆圈。每当此时，我总会感叹这是我和文字最近又最远的距离，我的手指奇痒，渴望创作。

我一直在发表文章，然而看着报纸或杂志上铅字排出的我的名字时，我总是想，我要的不止是这些，我热爱写，我要把写字当作工作，而不是业余爱好。

于是，我去找和写字相关的工作。

　　我想去报社做文化记者，这起码能利用上我两年的工作经历和之前的学习背景；然而我没有新闻从业经验，记者也是吃青春饭的行业，这条路，我走得艰难。

　　那么退一步，我想去网站的阅读频道或文化频道工作，这起码能让我写点什么，做点有创作性的事情，可是我的年龄，使我在招聘启事前望而却步。

　　我感到苦恼，如果继续在出版社待着，起码稳定，起码不用为生计发愁。但我毕竟学会了思考，就不甘心浑浑噩噩；我仍有理想，就不希望放弃，更何况，日子一天天过去，岁数一年比一年大，如果我三十岁前都不能改变的事，能寄希望于三十岁后吗？

　　我怕这是主宰自己的最后一次机会了。

　　本科毕业就工作的同学，成家立业，买房买车，人生已经到了稳定的阶段；而我一切都才开始，甚至才开始就发现自己已经老了。

　　三十而立，我却在三十边上还在考虑换不换工作，转不转行；我有些犹豫，又有些忐忑。

故事叁拾叁　三十岁，我该往哪走？

口述人：刘果

职业：记者

上一个月圆，我三十整。

老婆问我，三十而立，你有什么感想？

我说，我困惑。

她不相信，她说，对于一个三十岁的男人来说，你身体健康、家庭美满、事业顺利，我也不指着你发财，你有什么可困惑的？

我懒得跟她说。是的，若人生是艘大船，前三十年我确实风平浪静——前年买的房，去年结的婚，名校毕业，名报从业，我有什么可困惑？

问题的关键在于年龄。

对于一个三十岁的记者，从业五年，这行的明规则、暗规则，我了如指掌，业务上我驾轻就熟，难题我也知道怎么处理；虽然遇到一个好线索，我仍会兴奋地手抖。但是，五年了，大多数时候，那些大同小异的采访或写稿，多少让我厌烦。

我面临的是一个职业转型期——当我在这条路上已经走得

有模有样，我还能往哪儿走？继续走，前方还会有上升空间吗？

继续做记者，我还能做几年？今年都三十了，年纪渐渐大，我怕我跑不动新闻，起码是跑不过刚毕业、二十出头的年轻人。

不做记者，我能做什么？不在新闻的第一线，做编辑或是行政？也意味着原本就不高的收入，现在还要继续减少。我是个有家有室的男人，我每个月有近四千的房贷要还，父母、岳父母年纪大了，我从现在就要预备下赡养他们的费用，未来一两年我们准备要孩子，生孩子是一笔钱，养孩子又是一笔钱，经济问题我不得不考虑。

当然，有的人不做记者，变成了管理记者的人，但这样的机会总是有限的，报社里太多前辈默默无闻，管理者总是凤毛麟角。

那么去企业或网站做策划及宣传方面的负责人呢？不是没有机会，我也不是没有考虑过。但我有些担心。

长期以来，我热爱记者这份职业，一个重要的原因就是，它相对来说有独立性，绝大多数时候，我可以凭着自己的兴趣工作，我的思想和语言很大程度上是自由的。

而去了企业或网站，收入会高不少，可这也就意味着，从今以后，一个世界观和价值观原本已十分稳定的三十岁男人，要接触一种崭新的工作环境，我不再有独立性，拿人钱，受人管，为人服务，而且，原本擅长的"手艺"，就很难有施展的机会了——我能适应吗？

如果年轻几岁，如果没有家室，面对职业的转型或困惑，我可能跺跺脚就走；但现在，一个三十岁的男人，换工作或谈到未来的发展，我不得不考虑机会成本，那些我要付出的代价，所需承担的风险。

身旁年龄相仿的朋友，各有各的烦恼，单身的愁结婚，结婚的愁家庭，没事业的愁方向，我是不是太不知足了？

心理师点评 >>>

精神分析大师荣格是最先关注"中年"问题的心理学家，他提出：人的前半生的发展，更多地表现为适应外部社会，心理活动较多地指向外界、指向他人。人们通过学习文化知识、社会道德规范，掌握一定的技能，用以承担和履行社会赋予的各种责任。所以，在这个阶段，个体更多地考虑如何去把握世界，忙于与外界打交道。

即大部分社会成员在三十岁之前，都是按照一种既定的线性模式追求成功——升学、毕业、工作、升迁，同时还要结婚、生子，完成人生大事。这是一种似乎固定的、标准的发展规律，大部分人都按照这个公式去安排自己的生活，在不断努力的同时享受达成目标所带来的成就和快乐,而较少考虑自己为什么这样做。

然而,荣格也提出,如果这样一味地注意力外倾,就会造成心理内部的不平衡。因为除了外部世界,每个人都有自己的内心生活,都需要反思和内省。因此,当进入"三十岁的转折"之后,那些原本在青少年时期非常关心的人生意义和价值问题,例如"我是谁?""我为什么活着?"又一次成为人们关注和思考的重点。

我们不妨在三十岁的关口,做一次前程奋斗的小结和未来生活的规划。

首先,跟自己的内心对话,澄清自己想要的人生到底是什么样子。有几个小游戏可以去尝试。比如"墓志铭",想象一下,几十年后你离开了这个世界,你最希望自己的墓志铭上写的是什么,你希望人们会怎样怀念你。再比如"死亡游戏",假如三天后就是世界末日,想象你现在最想完成的事情是什么。

然后,探究自己的限制是什么——很多看似无从突破的现实限制,可能正是遮掩内心怯弱的好借口。为什么因为"公公婆婆得知后痛骂我们不会过日子"就不请小时工了?对于刘凤凤来说,是愿意把时间留给自己,还是更想让别人认为你是一个"好人"?

最后,关注优势,积极调适。三十岁的人越来越清楚自己的优势所在,知道自己做哪些事情更合适,效率更高。更重要的是,到了三十岁,内心的判断标准日渐清晰,比二十岁时拥有更大的信心去做自己真正想要去做的事情了。

特特说：恰到好处的不安全感

上一次金融危机，我应一家网站的邀请采访了几位女士，她们的生活都因此或多或少受到影响。

有人重新走向职场，有人暂时回归家庭。

这些陌生女人用焦虑的脸告诉我：猝发的变故，让她们夜不能寐，虽然还有力量抵挡，但生活已经乱了。

"我怎么没想到……"

"太突然了……"

"一切要重新开始……"

"一直觉得日子就会这样……"

与这些突遇变化的人不同，我周围的人大多按部就班地生活，做稳定的工作，有稳定的收入，但当时也很焦虑，焦虑与金融危机无关，焦虑传递给我：出路在哪里？人生就要这么过吗？按既有轨道，还是要突破？

那年，我二十九，我的朋友们也差不多。我们聚在一起，常大发感慨，未婚的盼已婚，累的盼闲，稳的觉得腻，动荡的充满不安全感。

是啊，不安全感。

在我的字典里，它与危机感近似，甚至等同。

那段时间，我常想，如果这两拨人对换角色，是不是每个人对自己的满意度都会增加？

安于现状的人会多些不安全感。如果早思考，早打算，早做应急措施，比如多一些傍身本领、多一些储蓄，那么，经济危机也好，感情危机也罢，都不至于狼狈以对。

而不安于现状、自我期待较高的人，如果事事往好了想，多点对寻常、已拥有日子的踏实感，则我们能在已牢靠的人生基础上整出点花样，不必大动筋骨，也能多姿多彩。

几年过去了。

且让我交代一下，几位朋友的现状。

芮雪结婚又离婚了，但对单身已不当回事，微信朋友圈里总会见到她吃什么喝什么去哪里玩，前段时间，她甚至转了一条"文艺青年的归宿只能是自己"，看来，这也是她的宣言。

当初，她总是找不到对象，慌不择路，随便嫁了一位；最近她刚买了房，把父母接过来一起住，她说"最大的爱是陪伴"，至于配偶，"随缘，不能因为危机感太重，就仓促解决。"

刘夙夙因为角色过多，任务过多，累得住院——

一次出差，她皮肤过敏，此后数月一直没恢复，浑身长满红点，医生告诉她："你透支过度，免疫力下降，必须休息一段时间。"

住院期间，她说她想明白了，没必要这么拼，以前怕这个不满意，那个不满意，"怕领导看轻我，怕老公不爱我"……

可她现在仍然很拼，工作上，"唯有工作，让我觉得有保障，最省心"。奇怪的是，家人也并未因此对她有什么异议，她的丈夫甚至因此长大了。

谢金龙做了他想做的事，并小有建树。

刘果改行了，在一家知名企业做危机公关。

　　我问过刘果，不是每一天都有危机要去处理，你的空白时间都用来做什么？

　　他说："好的危机公关，是随时能够解决问题，没有问题时，就维护好多重关系；怀揣着恰到好处的危机感，时刻警惕，不被束缚。"

　　我觉得他说的是人生。

第七章

别害怕自己柔软的短板

每个人都有自己的短板，有人捂着短板小心前行，却最终还是难免被人掀翻；有人则直视短板不断加固，却可能意外地把短板变成长板。

短板就如阴鬼，你对它畏畏缩缩，它就嚣张纠缠；你若勇敢直面，它就会颓然消失。

別害怕自己柔软的短板 >>

当助人为乐成为一种惯性

故事叁拾肆　要不要给"热心"定个限度

琪琪从学校毕业不久，在单位一直谨小慎微，努力做个乖巧的新人。

以她过去的经验，快速融入一个全新的集体，最重要、最快捷的便是热情、热心，乐于助人。

于是，同事杨姐嘀咕一句洗面奶用完了，琪琪就热心地问是什么牌子，"啊，那牌子的专卖店，我家楼下就有，等着我下班给你带"。

同事小王夸了一句琪琪烫的头发好看，琪琪便拉住小王的手说："真的吗？你觉得好，我带你去。"这天下班以后琪琪又主动把时间献给了小王———她陪着小王把头发做完。

　　琪琪的乐于助人在单位传为佳话，正如她所想，同事们谈到她，都交口称赞，夸她懂事，说她是个热心肠。

　　然而"好人"之名在外，琪琪越发不可收拾。平日里，无论是网上团购各种水或霜的私事，还是买文具、送材料或是去上级主管部门跑个腿之类的公事，或者业余时间同事们集体放松去 K 歌聚餐，找地方、订位这样的琐碎事，琪琪总是率先跳出来说："我去吧，我方便。"久而久之，一有事大家就不约而同把目光投向她，仿佛这些都是她分内之事。

　　琪琪有点累，虽然每次同事们都不忘表示对她的谢意。

　　作为新人，工作要比其他同事更努力，更有效率，而工作之外的事儿又让琪琪分走了许多精力。

　　很快，职称考试报名开始了。

　　琪琪所在的行业，每年职称考试的通过率不到 25%，为了好好备战，一起备考的几个同事报了辅导班，这件事从一开始就是琪琪一个人张罗。

　　比如报名，从网上下载报名表，用网上银行交报名费，考试前去报名点确认，拿缴费发票，直至定时定点拿准考证，其他同事都是全权委托琪琪，他们只提供自己的相关证件。

　　上辅导班，琪琪的笔记是记得最全的，只因不是杨姐有事不能去，就是小梁突然肚子疼，提前走了，事后，他们会问琪琪："把你的笔记借我用一下行吗？"后来有人干脆伸着懒腰，对办公室那头的琪琪提议："你把笔记复印了，给我们每人一份吧，谢谢啦！"琪琪顿了顿，做好人做习惯了，实在不好意思拒绝。

单位的复印机从开机到正式运行有好几分钟时间，杨姐叮嘱琪琪，记得要两面印，不要浪费纸，"还有别让领导看见了，要不他说咱们上班时间干私事"。琪琪站在复印机前呆呆的，她研究了半天如何两面复印，还是不得要领，急得满头是汗。这时，走廊上传来皮鞋哒哒哒的声音———是领导吗？琪琪一边竖起耳朵，一边赶紧收拾笔记和印废了的纸，等皮鞋声消失，她才松了口气。

"我这是何苦呢？"琪琪第一次这样对自己发问。

职称考试终于完了，第一个查成绩，帮同事查成绩的还是琪琪。

紧接着是领证，自然还是琪琪全权代表。

问题出在发票上。

单位规定拿到证书的员工，才能报销报名费和辅导班的费用，而这些费用的发票上回琪琪帮忙拿回来后，就被同事们一致说"就放在你那里吧，回头一起报销"，现在证书她领回来了，发票也在她这儿，看来报销的事还得她操持。

然而，琪琪在家找了一晚，别人的发票都在，就是没找到小方的发票。她实在想不出会放在什么地方，也想不通怎么单单少了这一张。

上班时，琪琪旁敲侧击问了小方是不是当初把发票拿回去了，惹得小方极大地不高兴，末了，人人都报销了，只有小方没有。大家安慰小方之余，却对琪琪说："下回办事注意点，别再丢三落四了。"气得琪琪下班时最后一个走，把钱如数放在了小方的抽屉。

琪琪好好和自己谈了一次话，这好人还要不要继续做。

琪琪回想起大学时代，她为处理寝室纠纷，劝分手的情侣和好不知做了多少次好人；研究生时代，为想考她所在学校、专业的同学朋友不知花多少时间印考题、打听招生政策；她又想到在新单位从单纯的热心变成人们眼中的"志愿者"，甚至出了力不讨好的种种，她有些抑郁，又有些明白：从今往后，我要给我的热心定个限度，从那些本不需要我出席的事件里抽身，把时间和精力用于更有意义的事上。

几天前，单位组织献血，今年轮到杨姐。

杨姐老大不情愿，她扭着身子走到琪琪面前，苦着脸说："琪琪，姐求你个事儿。"

没等她说完，琪琪就说："要是献血的事儿，我可帮不上忙。"

故事叁拾伍　好大厨的烦恼

文怡一手好厨艺，加之与电视中美食节目的主持人同名，朋友们都喊她"好大厨"。"大厨"好理解，"好"呢？当然指的是她的性格，从没见过她生气，怒到极致也就是倾诉完，眼睛往下看，嘴中叹口气："什么人啊！"

最近，文怡就这么叹气了，因为一个男孩，别误会，不是姐弟恋，是她的一个网友。

话说从头。

文怡刚毕业时，混过一个影迷圈。该圈集体哈韩，男的做韩剧男星打扮，女的呢？全部热爱这种打扮。

在圈子里，文怡堪称大姐大。这个活跃在南方某二线城市以论坛社交、网友聚会形式形成的圈子，是从文怡做私房菜招待大家才正式热起来的。

那段时间，每到周末，文怡就发帖："想吃什么？速速报来！"

跟帖者来来去去，最后固定下来十几个人，他们自封"常委"，起初自己来，后来带着男女朋友来，"贤妻良母啊"，宴罢，他们总这么赞美文怡。

除了文怡，座中，只有一个小伙儿一直单身。

说是小伙儿，脸上还有绒毛呢！"羊羊"，大家都这么称呼他，姓杨的他总笑，符合他年龄的纯真的、怯怯的笑。

一日，不是周末，羊羊突然造访。

"文怡姐"，他又怯怯了。

羊羊才十八岁，又一个人在此地求学……平时饭桌上，文怡没少给他夹菜。

羊羊表示，他不想读书了。

由于长期打游戏旷课，他所在的成人高校已将他除名。

他没对家人说，现在带来的学费、生活费都已花完，被房东赶出来，偌大的城市他举目无亲："想来想去，只有你，就像我的姐姐……"

文怡给他沏了杯热茶，问他未来有何打算。羊羊说，只对游戏有兴趣；再扩大点，对电脑有兴趣；再扩大点，对游戏周边产品的开发感兴趣；再扩大点……文怡一摆手："你还这么小，必须上学，不能现在就工作。""可我不想学家人给我安排的专业。"羊羊一脸别扭，他的自来卷一根根看起来很纠结。

文怡给羊羊铺着床，整理着行李，做着心理辅导工作。

在她劝说下，羊羊答应告知家人实情，但要想好怎么说："这段时间，你就安心在我这儿，好好想，是回老家，还是学个技术、手艺。"

是夜，一声尖叫，划破天花板。

文怡的室友冲到客厅，头发上还挂着水珠。她上厕所又没关门，而羊羊推门进去。文怡赶紧上前解释原委，同居两年从未与文怡有过摩擦的室友此时发了飙，她以女生宿舍不能留宿男生为由，坚决要求羊羊立刻马上搬出去，文怡好说歹说才稳住她，百般赔不是，回到房间发现羊羊已躺在地上的席梦思垫上睡着，手里还抓着PSP游戏机，"真是个孩子啊！"文怡给他盖上了毯子。

没承想，隔几天，又出事故。室友丢了钱包，她认为唯一嫌疑人就是羊羊。理由是，她把钱包放在客厅里，就去阳台浇花了，前后几分钟，再回头，钱包已经不见了。

文怡审羊羊，羊羊矢口否认。文怡虽心里有些疑惑，但面儿上还力挺他。"我弟弟不懂事"，她沉吟道，"有什么损失，我替他偿还吧！"室友威胁道"他不搬出去，我就搬出去"，文怡劝说无效，见室友恨恨收拾细软，干脆做了一桌子菜为她送别。

几日后，室友叫搬家公司来搬东西，文怡让羊羊帮忙。羊羊下楼时，室友叹口气，拉住文怡，真诚劝她赶紧摆脱这个捡来的弟弟，别当"烂好人"。

"可他这么信任我，我看到他就会想起自己十几岁一个人在外地求学，和寄宿的亲戚闹翻了，流落街头，吃了好几天街边大排档的剩菜……"文怡陷入往事，"如果当时，我能有一个可投靠的人……"

室友摇摇头，最后留下一句："别忘了农夫和冻僵的蛇的故事，还有，看好你的钱包。"

室友没说错，文怡确实吃了亏。

且不说，自室友走后，两室一厅的房子就空了一间，羊羊干脆搬了进去，他打算考托福，并一再向文怡保证已和家人说好：不日"就回老家复习"；过几天又改了说辞，不日"就寄钱给我"。在此期间，文怡出房租，付水电，下班还回来给羊羊做饭。直至，羊羊留下一封信："姐，这个城市不适合我，我走了，多谢你的照顾，你是个好人。取走你书桌里的五千元，有钱的时候一定还你。羊羊。"

随之消失的，还有文怡的小首饰盒、唯一的奢侈品——前不久，文怡去香港，狠狠心，花两万多买了卡地亚的蓝气球表。

文怡逢人就叹气："什么人啊！"

私房菜聚会上，大家听完故事面面相觑，安慰她："好大厨，就当多做了件好事吧！"大家这才想起，"羊羊"是他的网名，只知道他姓杨，没人知道他究竟叫什么、来自哪里。

心理师点评 >>>

生活中总是有那么一部分"好人"不能让自己过上"好日子"。他们习惯，甚至可以说是迷恋帮助他人，总是要和那些不断制造麻烦的人生活在一起，不断地拯救对方于水深火热之中，哪怕把自己搞得筋疲力尽，人财两伤。所以，西方心理学界干脆就给这些大好人起了个名字——"拖累症"患者，也就是说"缺个人来拖累就难受"的意思。

而且，实事求是地讲，在全世界的拖累症人群之中，女性的人数出奇一致地远远高出男性。这大概也是古往今来东西方文化难得的一个共同之处：我们的社会总是在向女性传达一个苛责的声音，告诉她们应该更加以家庭为重，更加为自己所在的关系气氛负责，更加应该把照顾他人（而不是追求个人成就）作为自身的重要价值来源。

再有，就是在那些整体氛围不是那么充满爱意的家庭中长大的小孩，由于从小习惯了忽视自己的需要，总是用乖巧、听话、替人分忧来换取大人们的拥抱和微笑；长大以后，也就常常会忘记其实天下没那么多脆弱的亲爹亲妈，还像往常一样时时热心处处卖乖，有时就会难免委屈自己。

当然，也不必太过紧张。所谓"拖累症"并不是一个确实的医学诊断标准，世界上也没有一家医院会依此收治病人。但是类似的这种"恨不得被人拖累"的冲动，却时常发生在我们的日常生活之中。尤其，是在我们感觉自己的价值感不高，渴望得到别人更多的喜爱的情况下——嘿嘿，刚谈恋爱的小伙子差不多都是这副贱兮兮的模样，恨不得人家姑娘明天就感冒发烧需要陪着去医院，不是吗？

至于故事里那两个可爱的姑娘，最后能够感到自己十分地委屈难受，某种程度上说也是一件好事情。会难受，会反思，才会认真思考自己是不是需要作出改变。毕竟，现实生活中他人怎样对待我们，包括随便欺负一下、占个便宜什么的，绝大多数的时候，都是被我们盛情邀请过来的（只是很多时候我们自己不知道）。

每一天我们的时间和精力都有限，如果有谁总想做个人见人爱的大好人，最直接的代价，可能就是你没办法去做另外一些更有价值的事情。

校友录：幸福变了味

故事叁拾陆　在晒幸福中秀自己

小孙所在的班级，打上学起就竞争激烈。

毕业后，虽然专业都是中文，职业却各有不同，有人当教师，有人做记者，有人去外企，有人进机关，还有人继续升学。

这些年，同学们不算断了联系，网上有校友录，隔三岔五，总有人发布点个人信息，并配图，加图注，贴的人满足了表达欲，看的人满足了窥私欲。

小孙有时觉得，自己就是在同学们的刺激下生活和工作不断上新台阶的。刚毕业时，在校友录上，留学的同学一面贴加州阳光下她灿烂的笑，一面抱怨洋人的东西不好吃；工作的同学晒工资、晒福利，一面骂老板，说这点钱够干什么的啊，一面又经常故作姿态，惊呼："单位是不是不过了，年底除了年终奖还发了三千块钱购物券？"

校友录就是小孙的同学们晒幸福的舞台。

尤其是同学们年龄相差无几，近乎同时经历就业、跳槽、结婚、生子等人生阶段，晒的东西便紧跟时代潮流，也紧跟生活变化。

比如说，一度，同学 K 晒出自己的另一半——他的女朋友。K 在大学一直没谈恋爱，相关经验仅限于追求过几个同班女生，还都未遂。他的原话是："毕业一年多了，工作稳定后，不得不考虑个人问题，这不，我妈要我新年一定要带女朋友回家，我只好带着她露面了……"接下来，是五六张 K 搂着女朋友甜蜜无比的照片，K 在留言中还煽动其他同学："找到真命天子的都贴出来吧！"不知是他的煽动真管用，还是甜蜜中的人都想表达，一时间，校友录上呈花好月圆之势，双双对对，恩恩爱爱，仿佛某婚介所的成果展览。

恋爱中的幸福想广为人知可以理解，可之后没多久，小孙再上校友录，发现随着同学们恋爱进程的推进，另一半晒完，又开始晒婚纱照了。

小孙在电脑前，一张一张点过去，看得眼花缭乱。眼花的是同学们上妆后的脸都惊人的相似，不看图注，小孙竟然认不出谁是谁；缭乱的是看了近百张婚纱照后，她突然意识到原来婚纱、造型和主题有这么多种，价钱有这么贵。同学们贴照片的同时，或相互打听，或自动坦白，都承认了所拍婚纱照的不菲价码，最后隔壁班的同学都听说了这场婚纱秀，也跑过来贴各自的婚纱照，于是，小孙班的校友录像是各大影楼的 PK 赛，又更像欲盖弥彰的攀比战。

之后，小孙还在校友录上，看到了宝宝照、跳槽照、升职照、升学照、旅游照等主题，升职的同学大多坐在宽大的办公桌后，手指点在笔记本的键盘上，脸却对着镜头；升学的同学必定要站在某某大学的校门口或标志性建筑物前摄影留念；小孙有些羡慕同学们的好生活、好心态，又有些糊涂，同学们贴照片，说喜讯的时候究竟是分享幸福的因素多呢，还是炫耀的成分多呢？

直到，她又看到 K 在校友录上出现。

K 买了辆新车，在此之前，他曾就装修的细节，在校友录上详细地征求过同学们的意见，并作为成果汇报，他把装修完毕的房子分远景、近景、特写，分别拍照传在班级相册里，引发了一时间的热门主题——装修照；这回，K 对新车是这样介绍的"毕业好几年了，房子大概大家都有了，也该买辆车了，最近我就买了一辆，×××牌子的，功能不错，价钱也不贵，可以考虑考虑"，正如当年 K 贴女朋友一样，此次，K 也从不同角度展现了他的爱车，甚至有他握着方向盘，脑袋从车窗里伸出来的特写。K还说了和过去差不多的话："有车的同学也都来贴贴自己的座驾吧！"

K的留言是新的，离小孙登录时只有五分钟，还没有人跟帖。

小孙对着电脑，她看着K握着方向盘从车窗里伸出的脑袋，实在无法和几年前大学里看到女生就不知是兴奋还是惶恐得脸发红、却起码有点纯真的他联系到一起，小孙继而翻着校友录这些日子的留言，看到江山一片红的留言和恭维，前所未有地觉得可笑和无聊。

她从开心网扒了一张朋友的山地车的照片，贴到了校友录上，贴在K从车窗里伸出的脑袋的上方，她的图注是"贴贴我的车"。

这是小孙第一次在校友录贴图，恐怕也是最后一次，因为贴完、写完，她就退出了校友录。

故事叁拾柒　好心募捐却被视为骗局

8年前，小杨从师范大学毕业。

在学校的小树林里，散伙饭归来的同学们带着微醺，或促膝长谈，或抱头痛哭。有人激动地大喊："97化学万万岁！"

有人冷静地提议，在网上建个校友录吧——虽然大家各奔西东，却感觉仍在一起。

8 年了，当初说再见的人大多再也没见。

刚毕业那会儿，小杨天天刷新校友录，看同学们的喜怒哀乐，报告自己生活的细枝末节。

"明天是我第一次上公开课，好紧张。""我带的班平均分名列全年级第一，真高兴。""今天老张、胡子来我们学校听课，我们聚了聚，恍惚间回到大学。"诸如此类的消息在校友录的留言中比比皆是。

尤其小杨的同学几乎都是光荣的人民教师。于是交换教案、试题，共享和学生、家长打交道的心得，一度成为她所在校友录中的一道风景。

甚至于，小杨的同学中有位笔耕不辍的，为此还赋诗一首，诗名就叫《咏校友录》，"你吐一个泡，我吐一个泡，校友录连成一座桥……"这首诗发表在当地的小报上，且不论当地报刊的水平如何，起码这首诗中，你能一窥当年暖洋洋的同学情谊和欣欣向荣的校友录景象。

一晃几年过去了，大学时代渐行渐远，每个人都有了自己的生活圈。

同学间的联系越来越少，即便住在同一个城市，也只是偶尔一起开会、听课就算见面，过年群发短信就算保持联络。小杨也从过去每天都去校友录刷新，到每月去瞧一眼，甚至更久——反正留言就那么多，好长时间都不更新。后来，小杨才发现很多同学和她一样，登录归登录，却懒得说话，根本不说话。

这学期，小杨班级的一个学生 W 家里遇到困难，他的妈妈得了白血病。

眼看着 W 精神状态越来越差，成绩也一落千丈，小杨作为班主任便一面安慰鼓励 W，一面发动全班乃至全校的学生捐款。为更广泛地募捐，小杨把具体事由、用于募捐的账号等等信息写成文字，贴在自己所在的 QQ 群，又发动群里的人贴到各自所在的其他群。

有人问小杨，你为啥不贴到你的校友录里呢？那里的人更多，都是同学，肯定比网友更信任你。

这提醒了小杨，她兴冲冲跑去校友录，输入账号和密码时，停顿了快一分钟——上一次登录还是半年前。

校友录快长草了，除了几个新娘子、新宝宝的照片，除了几句"大家最近都在忙什么""是时候该聚一聚了"的呐喊，和半年前小杨登录时没什么两样。

看来，来校友录的人有限，但小杨还是贴上了募捐的信息，并留下了自己最新、最全的联系方式。她留言："希望各位同学把募捐的消息发到自己所在的其他校友录，越多的人知道越好。"

之后的日子，小杨天天登录校友录，查看有没有人回复她，注意手机上有无同学的来电。然而，她一直没得到回音。

终于有一天，小杨在办公室接到电话。

是好久没有联络的同学 Z，寒暄几句后，Z 就问起了募捐的事儿。小杨以为他要捐款，谁知他问清楚果真有其事后，就声称自己突然有事，"有时间再联系吧"。

Z 的电话一直没有打来，小杨费解，直到她重新登录了校友录。

校友录上有新的留言。

留言的第一句是几个网址链接，接下来是同学 M 语重心长的告诫。他告诫其他同学不要上当，告诫其他同学如果可能的话，和小杨的单位联系，找到小杨本人，确认募捐消息无误。

小杨觉得莫名其妙，逐一点开链接，才发现是"有人在校友录中设骗局，以老师名义召集募捐敛财"之类的新闻，原来有些学校、班级的校友录，骗子盗用了同学或老师的账号，以他们的名义募捐，其实是个骗局；小杨这才明白，同学们一定认为她的账号也被盗了，更或者以为她就是骗子。

小杨哭笑不得，她募捐的留言在校友录上删也不是，不删也不是。删了，徒增他人的疑惑；不删，和警惕诈骗的留言在一起相映成趣，看起来像出滑稽剧。

不过小杨更多的是伤感，刚毕业时掏心掏肺，动不动就在校友录上抒情、叙述、议论，间或夹叙夹议的同学们哪儿去了？"你吐一个泡，我吐一个泡"，把校友录当作一座桥的欣欣向荣彻底不见了；是校友录的平台已经过时，不足以让人相信，还是同学本身真的淡出了彼此的生活，便失去信任？

心理师点评 >>>

几乎每一个步入社会的新人，都会眷恋不舍曾经的校园生活。

校友录，以及它所代表的大学时代的纯真友谊，就像初上幼儿园的小朋友怀中紧抱的那只泰迪熊，为我们在刚刚离开校园的一段时间里，分享彼此的快乐忧伤提供便利；方便我们在初入社会的茫然中，互相给予支持、安慰。

尽管如此，我们不得不承认，一份友谊的维系，除了需要彼此共同的志向、兴趣和梦想之外，更为基本的，是必不可少的相似的经历。

而毕业以后的同学们，每个人都在自己的生活圈子里扩展、积累，大学同学之间原本十分常见的共同之处，也就很自然地一天天变得越来越少。不是我们寡情,这一切皆属自然。想想中学时代的伟大爱情,不是一样轻易就被高二文理分科的那场考试打败了吗?

至于校友录上"晒"幸福,也不一定就是彼此竞争那么简单。如果我们愿意,也可以把这种行为,看作是大家不约而同地努力寻找彼此之间的"一致性"。这说明我们总是愿意去发掘老同学之间的共同之处。

至于这其中是不是"有竞争"的味道,可能更多还是由"围观者"自身的心态所决定。而且,就算有竞争,也不是什么值得大惊小怪的事情。

很多时候我们看着校友录上不断冒出的"比我们混得好"的同学,心里难受,表面上是竞争不过的失落,本质上,是对人生难以完美的遗憾。我们经常会感慨当初一同毕业的同学之中,有人比我们挣钱多,有人比我们职位光鲜,有人比我们婚姻美满……但是所有这些,并不是统统发生在同一个人的身上。这里的"有人",并不是一个活生生的人,它就是个梦。

再说了,竞争中就不可以有温情?就一定不会有眷恋?成年人和小孩子之间最大的不同,就是有一颗成熟的心灵,不会再随便把这世间的事物简单对立。文章中后一篇主人公的不舒服,很大一部分原因,是她把大家通常意义上的"防人之心",直接理解为百分百地冷漠拒绝。赶紧自己出来澄清一下,告诉大家确有其事。这之后要是还没人帮忙,然后再去黯然神伤,着实也不算迟啊!

辞职：想说再见不容易

故事叁拾捌　想说再见不容易

林朗握着辞职报告，迈向校长办公室。

研究生录取通知书收到好几天了，学校大半同事都已知晓，林朗却没露出丝毫得意。甚至此刻，他的脸上看不出意气风发，他轻轻敲了几下门，一声"进来"，他走到校长面前，一如两年前来面试。

那时，他有些失意。考研前一场大病，让他名落孙山。林朗是个有计划的人，人生什么阶段该做什么事，达到什么样的目标，他心里有本明账，接着只是按计划行动。计划被打乱后，林朗好一段消沉，当他为生计开始找工作，发现已错过最好的时机。

于是，林朗来到这所中学，抱着试试看的想法。校长教了一辈子书，对待年轻人一如对待个学生，他和蔼地拒绝了林朗，林朗起身告辞的刹那，他却说："我给你个试讲的机会吧。"

试讲是成功的，林朗没教学经验，却很会调动学生的积极性，一堂课说得学生满脸笑。"起码是块璞玉。"校长留下了他。此后，林朗一边工作，一边继续复习考研，两年了，努力终有回报。

现在，他坐在校长对面，想说感谢和再见，却什么也说不出来。他讷讷递上辞职报告，校长戴上眼镜看了看，稍顷，说："这是好事啊，恭喜你！""学费有没有问题？有问题尽管开口，我私人借给你。"林朗愣了。先前，他听说好几个和他一样，任中学教师又考上研的同学辞职时倍受刁难，不是档案被扣，就是要交纳巨额赔偿金，事情到他这里完全不费周折。校长还说："我绝对不会做妨碍人前途的事，再说，人才流动很正常。"林朗越发感激涕零，他心里明白，临到分别，他对这份工作反倒有些不舍和眷恋，一半原因在于他的领导对他有知遇之恩。

可是人生计划不会更改，未来生活梦寐以求。所以林朗还是理智地把辞职相关的各种手续办完。

出教学楼，他碰见三三两两的学生——虽说是暑假，毕业班仍在补课；篮球架前十几个男生拼抢着，围观者一点不比平时少。林朗路过他们，有学生喊"林老师好"，他拍拍离他最近的那个，一瞬间眼眶热了。

往日种种美好如画面，一幕幕浮现在林朗眼前。

想到以后再没有人喊他"老师好"；想起教师节、圣诞节收到的小礼物，一张贺卡或一个布玩偶；还有清晨的朗朗读书声、课间的嬉笑喧闹声，林朗觉得他告别了一个重要的人生阶段、一种熟悉的生活方式，和一份极为珍贵的为人师的快乐。

"怎么辞个职像离婚？明明决定了，办手续时还是会伤心？"这句话从林朗心中蹦出。他站在校门口，再回首看金字写就的"xx中学"，使劲地把眼睛里潮湿的东西往回憋。

确实像离婚，像面对已经分手的爱人，你曾一心一意想离开她，真的离开了，心里又蓦然想起她的好——林朗全然忘了，他曾抱怨过某个学生调皮，某个家长不讲理，他在一个又一个夜晚，抱着书想，我一定要考走；像离婚，像分手后依然难忘怀，林朗觉得未来很长一段时间，他都不会忘记这中学，会惦记它的一切消息；更或许不惦记，也无法回避，以后填履历，一旦回忆起这两年，它永远也绕不过去——犹如一桩婚姻结束，留给你一个洗不掉的文身。

故事叁拾玖　就像结束一场家暴婚姻

"辞个职就像离婚，不对，比离婚还费劲！"王小敏嘟嘟嚷嚷，在办公室里转圈。

话说王小敏辞职，纯因对上司不满。她觉得就算收入少点，也好过在李总手下讨生活——李总脾气太暴躁，动不动就拍桌子、吹胡子，王小敏一辈子最大声说话还是在小学，她当班长，拿着粉笔擦在讲台上掼了两下，"安静，安静！"

李总还爱指着人鼻子骂，比如他曾对着王小敏嚷嚷："你他妈的这个月业绩怎么样？""你是死人啊，动作这么慢？"虽然事后，李总也不见得要给王小敏小鞋穿，但长此以往给王小敏带来巨大的心理伤害。

王小敏决定辞职，辞职的脚步却步履艰难。且不说辞职报告是同事玲帮她写的，也不说每次准备去辞职，她都先预演一遍，即碰到李总该怎么说，单说她出门前的"助跑"吧，她一步步走向办公室大门，再转头，决绝般对玲说："我这就去了啊，真去了啊。"再拉开门，冲出去，不久又折回来……如此这般重复了三四次。

据她所说，第一次，她走到李总办公室门口突然怯场，想好的话一句也想不起来，踟蹰间，打南边来了财务科长，打北边又来了人力资源部的小张，两人怀里都抱着一堆文件，看来都是去汇报工作的，王小敏怕当着人面挨骂太丢人，就一缩头，哧溜一下回来了。

至于第二次、第三次，均是李总不在，王小敏松了口气，又泄了气：躲得了一时，躲不了一世。终于，第四次，她堵住了李总："我想换个工作。"李总的眉毛挑了下，事后玲分析，王小敏的话可能引起了李总别的想法——调个别的部门，或别的岗位。可王小敏往前一送的辞职报告瓦解了李总的七想八想，王小敏背书般陈告别辞，做好耳朵边放二踢脚的准备，没想到李总因一时没反应过来，只淡淡说："好了，我知道了，你去吧。"

王小敏举着食指和无名指一路做"yeah"飞奔回办公室，玲见她的第一句话就是："李总没摔东西吧？没骂你吧？"玲甚至围着她画圆，看看她是否丢了头发或汗毛。

王小敏如释重负，但一句粗话都没遭遇，又让她有些失落。要知道前同事刘杰辞职时，李总当场砸过去一个文件夹，刘杰走后，每每开会李总提及他便没好气；王小敏又想起她刚才想到的"辞职就像离婚"的理论了，"我就像一个一旦提离婚，丈夫就会追杀的女人，突然和平结束婚姻，恍然一梦，天啊！我也没那么重要！"王小敏跟玲倾诉道，玲哈哈大笑。

这失落、惊愕及老怕第二只靴子掉下来的情绪终于停止了，王小敏办理完交接，收拾东西时，李总派俩人看着她，来者还复读机般背诵李总撂下的数句狠话，"他妈的，什么都别想给我带走，哪怕一支笔！一张纸！"这让王小敏想起杜十娘离开时，老鸨说的话——"事已如此，料留你不住了。只是你要去时，即今就去。平时穿戴衣饰之类，毫厘休想！"

无论如何，王小敏心里踏实了，这才像李总嘛，这才像她誓死要离开的 X 公司嘛。她吹着口哨，恶作剧般在交接单上，写着"14 支笔，5 支红笔，8 支黑笔，一支没水"……王小敏和众人握手告别，正准备走，突然听到李总在走廊咆哮的声音，她对玲说："等会儿我再走吧，我这辈子都不想再看见他。"她的神色还真像经历家暴的女人提起前夫仍心有余悸。

心理师点评 >>>

关于分离焦虑，心理学家已经做过很多的实验，所有的这些相关实验，从理论上讲都直接建立在"分离——悲伤"的前提之上，好像这就是一个天经地义的现象，不需要我们再去过多地考量。

直到后来，法国那边的拉康派精神分析人士，倒是对这种普遍存在的"分离之痛"做出了一个解释。他们认为：从象征的层面讲，现实中经历与他人的分离，意味着我们同时要告别寄托在他人身上的"那一部分"自己。比方说伴随着亲人的死亡，我们投射在他们眼中的"那一部分"自己也就跟着死亡了，所以我们才会伤痛欲绝。

这是一个十分诗意的表达，也许我们从自恋的角度去理解会相对容易一点——我们都希望在这个世界留下一些专属自己的独特痕迹，作为我们"存在过"的直接证据；而离别，结束一段关系，常常会让人联想到"消失"，联想到也许自己在对方的世界（尤其是精神世界）之中，似乎从来没有存在过。

所以我们通常喜欢在离别的时刻，准备一些精美的纪念品，送给自己特别在乎的朋友们，试图用它们来"替代"自己，继续"存在"在对方的身边。这种"替代的存在"，在很大程度上，可以缓解我们在分别时刻所经历的那种难言的痛苦。

具体说说故事里的王小敏，与她相似的心理现象————怎么越是感觉不舒服的环境，反而越是让我们离不开，难以割舍？就像故事中的比喻：一个经历家暴的可怜妇人，头脑里离开的冲动时时浮现，要落实到具体的行动上却屡屡退缩。

生活中还有一个类似的现象更为常见——家庭之中，常常是小时候最少得到父母关爱的那个小孩，成年以后反而留在父母身边照顾终老的概率最大。也许，从某种暗在的心理动机上讲，我们常常会在那些给自己留下伤痛的对象身上，寄托更多、更为隐秘的内心渴望——渴望某天对方突然悔悟，诚挚地对自己说声抱歉，哭着请求我们原谅他……

就好像那个一直不被父母看好的小可怜，总是希望通过自己的努力，最终可以换来妈妈声音颤抖的一句："好孩子，对不起，是我们错了。你才是最应该疼爱的孩子！"

特特说：像节约成本一样节约感情

我和我的几个前同事一直保持来往。

我们同在的前单位对大家而言都不是什么好的经历，但回首往昔，作为战友的一幕幕浮现在眼前，或鼓励，或叹息，都让我们感到快乐。

更何况，还有近况可报告，相熟的人有哪些新八卦需要互相"传谣"，更重要的是，他们都是妙人，三言两语便可让我开怀、释怀。

比如，前同事 A 天生幽默。一次，在咖啡馆，她坐的位置正对着风口，她解下丝巾披在头上，我称呼她："阿依吐拉公主"，她马上应："是阿依土鳖公主"。

又如，前同事 B 时刻打足鸡血，什么事在她眼里都不是事，我常给她发短信请教问题，而她每次的回复开头都是："这事好办。"甭管是不是好办，反正看到这四个字，我顿时就能安心。

你也许以为我是个怀旧、恋旧的人。

是啊，每过一段时间，我便理直气壮向这些旧人发出邀约："快，好朋友就要经常见面！"而现在，距我们在前单位正式分别已四年。

但我不是。

另一些旧人，我今生都不想再见。

同样是前同事，Y 君喝醉了大闹，送他回家的途中，他几次要跳车，出租车司机警告在他身旁慌乱的两个女生（其中一个是我）："他要是再打算跳，你们也一起跟着下车。"下一次，他又醉，在饭店，让服务员将他吃完的水煮鱼再变出来，变不出来就要打人，年轻的服务员窘迫地看着我们。再下一次，听说 Y 君出席某场合，我已在去该地儿的路上了，立马扭头回家——和一个不断惹麻烦的人绝交，即是趋利避害，省时省力。

还有人不断失恋，不断倾诉，事后我发现其实遇人不淑，她自己不负全责也难辞其咎；还有人你给他拉了一单生意，他怀疑你的动机，"说吧，我 / 对方要给你多少回扣……"

最难忘，我曾为一个写作不错的朋友介绍过一家出版方，该朋友要我保证对方财务透明、印数透明，总之他的利益均要我来作保，要落实到文字上，而其实我的出发点不过是热心。

这些人统统都绝交了。

直到今天，我仍然重复以上的行为，常年顺手做各种"中介"，前提是不耗费精力，让我感到身心愉快，要么有价值，要么有效益，要么有趣，绝不做吃力不讨好的事情。

情绪常影响我的状态。

高兴时，一天抵上一星期；低落时，停滞不前，计划一个也落实不到现实中，所以我尽可能选择让我情绪高昂的事，和人的交往，亦参照此标准。

你如果和我一样，最短板是受情绪影响，请慎重选择交往对象，交往事宜。我们的感情如成本，要节约，在对谁"心软"，为谁"热心"，为谁"伤神"的问题上，别心软，勿伤神。

番外篇

别害怕必须的磨折

涉世之初，身在其中的人不明白，周遭的环境、周围的同事，以及各种微妙的生活现象。过了三五年，你慢慢沉淀，慢慢积累，你见得多了，吃过亏、上过当，也经历了成长，你未必世故，但起码老练；那时你将懂得如何保护自己，并开始适度示弱。

别害怕必须的磨折 >>

你为什么借口这么多

理由无处不在

说个赵钱孙李的故事吧。

那是个周一。赵推开会议室的门，例会已进行过半。

领导正说到兴起处，此刻顿住，问赵："怎么又迟到了？"赵强作镇定地回答："地铁突然停了，我等了好一会儿才开。"

领导无话可说，点头示意赵进来，赵在同事们的注视下走到座位，他呼出一口气——幸好想了这条理由，要是说实话"起晚了"，领导还不发飙？

领导把头转向钱："销售回款表呢？"

周五下午，领导让钱把本月的销售回款情况做个表，周一早上开会用。周五没做完，周末两天，钱忙着约会、逛街，把表格抛在脑后。虽然今天钱一上班就打开电脑，敲击键盘忙活着，可到开会时也没完成。"就快做完了。"钱说。领导脸一沉："就快做完了?!"

钱嗫嚅着："我不是故意的……周末我做着表，家里断网了……"

领导挥挥手："我不想听你解释，这次是断网，上次是停电，上上次是你叔叔突然来北京，你要去接站！"

终于等到散会，各司其职，各就各位。

孙接了个电话，他对着话筒："我最近老出差，真是对不起，等我回来再说吧。"同事们都看着他，明明他人就在办公室啊！放下电话，孙解释，他答应女友的叔叔去辅导女友的堂妹英语，可去了一两次就嫌耽误时间，渐渐不去。现在女友叔叔问起来，孙开罪不得，又实在不情愿，只好找个借口开脱。同事们无不理解地点点头。

某同事突然叹了口气。

他正在和设计师李 MSN 上聊天，他催李赶紧拿出设计方案。可李说，他的车刚被追尾。某同事显得有些无奈——"我只能答应李缓两天再交方案，可谁知道这回，他是不是又在找借口拖稿呢?""上回，李的理由是他要去香港参加展览，有一次，说他爱人骨折住院，还有一次说孩子病了……我究竟该不该相信他呢？"

大家七嘴八舌地讨论着，赵、钱、孙三人却没加入。

其实，这个故事想要说下去，能举的例子还有很多，比如，前文提到的某同事姓周。他和朋友约好聚会，临了反悔，他发短信称："加班，去不了。"几次爽约，朋友圈子里盛传周不靠谱。

又比如，刚才主持会议的领导姓吴。吴的体检报告上写着脂肪肝，才向妻子承诺少喝酒，又大醉而归。"这次情况特殊……"可下次照旧，不过下次的说辞变了，"老总在，我要替他挡酒！"直至有一天，妻子忍不住问吴："为什么每次你都有理由？"

再比如，七嘴八舌参与讨论的还有……故事真的要说下去，百家姓恐怕也不够用呢。

当理由大多是借口

理由无处不在，解释每一刻都在进行。赵钱孙李等人的故事中，总有一些你我的影子。

我们试着分析一下，所谓理由，能分成两种，一种是真的，另一种是假的，而假的或可称之为借口。当别人问我们"你为什么总是理由多多"时，更多指责的是我们的借口多。

那么，为什么要找借口？

动机一，不想做什么时，找借口为了不做。故事中，孙不想辅导女友堂妹英语，周拒绝朋友时发的短信都不约而同找了此类借口。

此类借口的目标效应是两全，既解放自己，又不得罪对方。否则直接拒绝，岂不更有效？

动机二，做错什么时，找借口以规避风险，逃避责任。

赵开会迟到，吴有脂肪肝，还喝得烂醉，不能说不是错。领导的批评，家人的责问不能说不是烦恼。有个合适的借口，最好是不以主观意志为转移的借口，便犹如一把降落伞给予从高空抛下的人们以安全感。

而钱没按时完成工作，设计师李屡屡将方案交付的时间延期，这属于工作上的失误。找借口，则为失误找到除己之外的另一方承担责任，起码是分担责任。

此类借口的目标效应很明显，有个合适的借口，显得情有可原，事出有因，即便酿成错，要接受惩罚，也兴许能落个从轻发落。

因此从目标效应来看，借口是将事情往利己的方向推进，而前提在于听我们说借口的人相信借口的真实性。

问题的关键是，他们相信吗？

赵开口解释前，领导问："怎么又迟到了？"可见此前，赵迟到过，并曾做过类似解释，领导的言外之意——这次又有什么借口？

钱的解释领导根本不想听，并举例"上次……上上次……"

李的借口涵盖甚广，涉及交通、医疗、文化等方面，情节近乎荒诞，以至于接受解释的人不禁问："我究竟该不该相信他呢？"

……

由此可见，解释一次还行，解释多了，真的理由看起来也像借口，何况本来就是借口！

次次有借口，前提被动摇，借口的真实性一旦被怀疑，它的目标效应便会打折，而日积月累，直至借口的真实性被推翻。

我们可由此推论——

你最初找借口，为了不做什么，拒绝什么，又不想得罪人。久而久之，你屡屡爽约，众人或口口相传，或心照不宣，你是个不靠谱的人，不值得信任的人。

所以，孙真的因为忙，不给女友家帮忙，女友家人也会半信半疑，直至"他靠得住吗"。

你最初找借口，为了开脱自己，少承担点责任。久而久之，没有人敢委你以重任，你不知道会失去什么样的机会，也不知道那些机会原本会给你的人生带来多大的改变。

所以，钱只会被分配去做不重要的工作。

你最初找借口，为你做错、做得不好的事显得情有可原。久而久之，你穷尽想象，所罗列出的各式借口都用过一遍，当你真的某次做错或做得不好，有合情合理的理由时，没有人相信，也不再情有可原。

所以，设计师李的客户会越来越少，终止合作的次数越来越多。

……

找借口的最初目标和实际结果有点对不上了吧。

比找借口更好的方式

原来借口说了比不说糟。如何从一开始就避免借口的出现呢？不靠谱的事情不要答应。

动机一的孙和周，看起来最无辜。他们的错误在于不该事先答应了人，再临时改主意，更不该改了主意，又怕得罪人，找借口推托。如果从一开始，孙和周就能考虑到所答应的事未必有完成的可能，不说满话，即便届时变卦，也比答应了再推托显得可信赖。

既然答应别人的事，就要尽量做到。

信任是一种累积，哪怕表现在小事上。因为惰性，而失去好口碑，得不偿失。天长日久，你会发现圈子里大家把你当作一个靠谱的人，是你意想不到的优势。

真的做不到，就要陈述实情，直接拒绝。

"拖"绝不是万能钥匙，一次让人不满意比多次让人不满意好，你觉得孙给女友叔叔的回话"最近出差，回来再说"，会杜绝女友叔叔继续来电吗？孙还会继续找借口，这些借口累积的负面效应比最初拒绝大多了。

不要试图推卸责任。

不是事出有因，就能得到原谅。只因你最想与之解释的那个人，大多在你们共处的事件中，与你呈对应关系。他想要的绝不是解释——为什么没做好，他想要的是问题的解决。所以，钱把打印好的表格开会前就放在领导的办公桌上，李把设计方案如期发送比任何听起来合情合理的借口都有效得多。吴从此滴酒不沾，赵对好闹钟提前出门确保此后开会不迟到……这些不仅是避免借口出现，也是根治借口、消除借口带来负面效应的最终解决方案。

解决永远比解释重要，要不，领导怎么会对钱咆哮"我不想听你解释"呢？

好钢用在刀刃上，好借口呢？

郑终于出现了。

国庆，郑打算回趟老家，自驾车。

某中学同学的表弟也在北京，无意间得知这一消息，打电话给郑："大哥，捎我一起回吧，我行李多……女朋友也想跟我一起回去……"

郑其实把自驾车当作一场旅行的，他只想和家人在一起。再说密闭的空间多了两张不熟悉的脸，一对情侣间叽叽喳喳的嘴……郑在第一时间拒绝了同学的表弟："不好意思，我要先送我的丈母娘回天津，在那儿住几天，再回老家！"

挂掉电话，郑一身轻松。

我们的生活总需要一些借口删繁就简，所有的借口都是为了维护自己。而好借口的前提是合情合理，不涉及信任，也不涉及责任。还有，偶一为之方显功效。

遇到一双不怀好意的眼睛

不幸被流言击中

总在不经意时，遇到一双"不怀好意"的眼睛。比如，小缇。

没转正时，她的工资一个月不足千元。幸好吃住都在家里，工资就当零花钱，经济问题，小缇从没在意。工作没几个月，就到了国庆、中秋双节，过节费 800 元在小缇看来绝对是意外收入。她一激动，上午领到钱，中午就去商场潇洒了，下午上班，她穿着崭新的外套兴冲冲闯进办公室，张哥最先看到。

张哥问："刚买的？"小缇喜气洋洋回答："是！"张哥又问："多少钱？我也给我老婆来一件！"小缇扑哧一下笑了，"799！付了账，我就回到解放前了！"

张哥当时没说什么，只夸衣服好看，可没到下班呢，整层楼都传遍了，连领导都知道小缇买了新衣服。传遍的还有一句话，"新来的大学生一件衣服就 800，咱单位这点钱能留得住人吗？"

小缇只恨不得锯掉自己的舌头——她确定只跟张哥说过衣服的价钱。

又比如，小杰。一次培训，他和赵编辑的座位挨着。

课程无聊，小杰便和赵编辑小声聊起来。赵编辑是单位的老员工，所以当她问起小杰最近有什么选题时，小杰不敢隐瞒，只说，才来出版社一年，一直做文字编辑，还没有机会策划选题。

赵编辑安慰和鼓励小杰些什么，小杰已经记不清了，许多日子后突然想起这一幕是在全社开大会时。

当时是社领导公布有关规定，没有中级职称的编辑前程堪忧，赵编辑恰在其列。她有些生气地发言："有职称、高学历又怎么样？像小杰，来了一年多，还没独立策划过选题呢……"

小杰原以为大会内容与他无关，便一心在玩手机，此刻听到自己的名字，他头猛地一抬，正对上赵编辑挑衅的眼神，脑子轰地一声——只觉颜面无存，心也被伤着了。

还有小彦。

那次回家探亲，小彦就和妈妈出去买菜。小区里人来人往，小彦和妈妈走着笑着，发现迎面而来的是妈妈退休前的同事李阿姨。

小彦曾是本厂子弟的传奇，本市第一名的高考成绩，足以让父母在全厂同龄人面前笑傲。李阿姨看到小彦，先是握住她的手亲热地寒暄，再关心地问："有男朋友吗……是要找个好的！咱们小彦这么优秀！"

等到小彦回上海上班，电话里，妈妈跟小彦唠叨起来。原来全厂都知道小彦还待字闺中了，那天，李阿姨带外孙散步时，在小区中心，跟众人嗟叹："女孩子太强了恐怕真的嫁不掉！高考状元又怎么样呢？我闺女和小彦一样大，我都抱上外孙了！"

妈妈有些生气，可言外之意还是让小彦抓紧个人问题，给她争点儿气。小彦还记得李阿姨那天紧紧抓住她的手心，叮嘱"一个人在外面要好好照顾自己"，现在，小彦有些郁闷，不知那关切几分是真几分是假。

走自己的路并不简单

小缇、小杰和小彦都经历了相似的遭遇。

　　你也许会说，那些不怀好意的眼睛从本质上无法改变他们的工作或生活，"走自己的路让别人去说吧"，但你没意识到，那些经意或者不经意的言辞带给他们的伤害。

　　现在，从同事到领导，都知道小缇花钱大手大脚，再加上张哥添油加醋的评论"咱单位这点钱能留得住人吗？"也不禁让人觉得小缇人浮躁，起码是高调。更重要的是，还有潜台词，"咱单位这点钱"，即在这样的单位，小缇的大手大脚引发了包括张哥在内众同事的心理失衡，小缇不自觉中和别人划分了界限；"能留得住人吗？"又成为领导考虑小缇的另一因素。

　　张哥究竟是不是在故意破坏小缇的群众关系，她不确定，但实际效果是，小缇的处境比之前被动。那么，如果继续下去，小缇会不会还有新的素材让张哥发挥？

　　接着说小杰。

　　闲谈中，小杰的坦诚回答是对赵编辑的尊重也是对"关心"的回馈。谁知赵编辑却把这些当成攻击小杰及他所代表的高学历、有职称年轻人的把柄，而这恰恰是小杰最感到虚弱的地方。

　　赵编辑捅的正是地方，小杰受伤了。除此之外，小杰的心理伤害还包括他后悔自己怎么随随便便信任了赵编辑。

　　小彦和小杰一样，错把"套话"当关心，李阿姨湿热的手心温度犹在，"女孩子太强嫁不出去"的话却又在耳畔响来响去。

小彦被攻击的也确实是内心感到最虚弱的地方，没有男朋友是不争的事实，一时半会儿也没办法解决。

不过，让小彦最烦恼的还是平白无故做了别人茶余饭后的谈资。一想到李阿姨把她当八卦，在她身上总结人生经验，小彦就泄气；而李阿姨的话传到妈妈耳朵里，妈妈心情不好，又转嫁到小彦身上，被转嫁的还有"一定要嫁掉"的压力。

看到了吧？

不是一句"走自己的路让别人去说吧"那么简单，我们都是活在层层社会关系里的人，那些暗地观察我们的眼睛，那些随时等待发出的评判，随之带来的是对我们社会关系程度不一的影响。这些我们真的能做到完全不在乎吗？

躲在"不怀好意"背后的心理

让我们分析一下那些"不怀好意"的眼睛。

妒忌排行第一。

见不得别人比自己好，是很多人共通的私密、阴暗心理，只不过有的人加以控制，有的人无意识放纵。

李阿姨用自己的女儿和小彦比，高考也好、之后的工作也好，都无法企及，唯一能比的就是结婚、生子。所以"女孩太强了嫁不掉"与其说是攻击，不如说是由妒忌引起的自我心理补偿，补偿她女儿不如小彦这件事带给她的失落。

妒忌还能引发另一种心理，视人为潜在威胁。

为什么赵编辑早在培训时就打听小杰的业务发展？赵编辑除了小杰还打听过哪些新人、哪些同事的业务？她之所以拿小杰为例，不过是小杰的事最具代表性，最具杀伤力，其他人的情况她或者没掌握全，或者不足以成为有力把柄。

对赵编辑来说，"有职称、高学历"的年轻人是她的潜在威胁，她之所以会在关键时刻拿小杰举例子，不过是把小杰们当成了假想敌。

然后是控制欲。攻击一个人，从攻击者来说，一方面是为了发泄情绪，另一方面也是为了被攻击者受到影响——无论是破坏对方的名誉，还是造成不良后果，或者对方只是为此心情不适。

生活不如意、现状无法改变、怎么用功也比不上别人，这足以让一些人心生怨气。他们整日用挑剔的眼光，捕捉别人态度不太明朗的信息加以想象，并在"适当"的时机表现出来。

当然还有另外一种情况，那就是张哥、赵编辑或者李阿姨，他们本身或许并无恶意，只是出于某种习惯，把看来的听来的一股脑儿传递出去，其中夹杂了一些个人评判、爱恨好恶。这些情绪随着事件本身在人际间传播，并被不断放大，最终造成了伤害。

无声的反击　有力的反抗

你吃过亏，别人吃过亏，但你总结过经验，这些"不怀好意"究竟是谁引起的吗？

你可以选择说话滴水不漏，你很明白有的人就是要找你麻烦，等着你出错，你就偏偏不能让他拿到错。

比如，小彦再回家时，李阿姨和好几个阿姨都看到她了，李阿姨问："小彦有男朋友吗？"小彦有经验了，"好几个人追求，咱还不得好好挑挑，别不明不白，上赶着就嫁了"。几位阿姨面面相觑，再一看小彦满面春风，也不像大龄剩女被攻到要害啊！

因为别人的态度产生恶劣情绪，一味自怨、自责、自怜，显然不是聪明的做法。不让这些意外事件影响你，控制你——这是无声却有力的反击。

当然，如果你有足够的勇气和有分量的证据也能发出有声的反击。

小杰受伤后，倒是激发了上进心。毕竟赵编辑攻击的确实是他的短处和痛处啊！小杰终于策划出自己的选题，意料之中，赵编辑又发言了。

赵编辑捧着小杰的新书，一面啧啧说："不错，不错！"一面又装作不经意地问："小杰，你来了几年了？"小杰回答："两年，对了，赵编辑，您策划的第一个选题是您来出版社多久后？"赵编辑卡壳了，小杰事先问过别的同事知道她的答案——三年。

都是"小白兔"都是"大灰狼"

小缇在想一个问题，张哥怎么会是这样的人？

每天都在刻意地观察周围的人，挑错，传播，对他有什么好处？小缇想上前对张哥说："收起你那套鬼把戏！"却终究没有做。

不是不敢，而是小缇有点可怜他。今天，小缇主动将经理的门打开，众人窃窃私语看到她又作鸟兽散时，她干脆拖着他们问："有什么新闻，说给我听听。"大家反倒被将了一军。小缇又拉着张哥："究竟是什么新闻？"张哥的脸红了——她不是不会自保。

下班路上，有同事问小缇，听说张哥……小缇却打岔打了过去。

其实，谁没有值得说的一些毛病呢？

不止一次了，小缇看到张哥在办公室复印足球报上关于彩票的信息，也不止一次，听到张哥用办公室的电话查询股票。

小缇只是不想说是非，她隐隐觉得，那些"不怀好意"的眼睛窥着你，攻击着你，对你最大的伤害就是让你也成为和他们一样的人。

那些"大灰狼"都曾是"小白兔"吧，所以我拒绝变成"大灰狼"，是对你们最大的反击。

谁在安排你的生活

那些扔在废纸篓里的时间

星期天，你享受着难得的清闲，打算看会儿书，听点音乐。

你拿出新买的碟，正在拆包装，手机铃声响，你看着屏幕上跳跃的名字，根本不想接，可铃声不依不饶，你叹口气，接了。

明明厌烦，接通的一刹那，你却解释："对不起，我刚才在洗手间。"

电话那头，哭声频传，你头皮发麻，朋友梁需要安慰——她经常需要，这一次不知是工作还是感情出现问题，你做好耳朵发烫的准备。

一个多小时过去了。

直到你听到手机里的嘟嘟声，还有别的电话，才终于摆脱喋喋不休的梁。

新电话是领导打来的，他给你布置新任务，但与工作无关："我晚上出席一个婚礼，帮我起草一个证婚人致辞。"

你完全可以说，不在家，但想想，觉得不好意思，你点头称是，"没问题"，转身打开电脑。

拆了一半的新碟被你放下。

等你终于拼凑完致辞，你的一个师弟上线。你躲他不及，他已开始发笑脸问候，他说："师姐，帮我看看稿子吧。"

他几乎一看到你，就要给你发新作，然后提要求"帮我改改"，"帮我推荐个地方发表"。

你曾试图封掉他，又唯恐被共同认识的人揭穿，"那多不好意思"，于是你留着他在各种网络聊天工具上，如同留着一个时间恶瘤——这样的恶瘤，他不是唯一一个。

天快黑，你的新碟还没拆开。

因为告别师弟，你突然想起，昨天答应一个同事代买某个品牌的化妆品，你家门口就有家打折店。你冲出门，同事眼里你只要来回花半小时的时间，但你在店里挑选，磨赠品，你买的时候有，现在没了，同事会怎么想？你和营业员说来说去，磨来磨去，你抱着一纸袋化妆品出门时，松了一口气，但你的一天已快过去。

问题是你不开心。

你接收朋友梁的负面情绪时，对你的心理愉悦毫无建设，你偶一为之，出于友情，但她一而再，再而三，你早该明白你的倾听不能解决她的习惯性哀怨，只会预约她下次的倾诉。她把你当垃圾桶，而你眼睁睁看着时间扔在废纸篓里。

你难以开口说拒绝，因为你怕领导不高兴，怕师弟认为你不热情，同事说你不尽心。但尽心、热情？前提是帮别人忙，你高兴，忙帮得有意义。现在的情况是，你帮的忙十分之九别人找谁都一样，只有十分之一，非你不行。这十分之一值得你两肋插刀，可十分之九呢？只因为你好说话，对方才会找到你，下一次，他们还找你。

你忙忙碌碌一天了，一张碟还没拆开呢。

不忍心的人对自己最狠心

如果你早上拆开那张碟，在音乐中享受平静，你再翻开书，把你今天扔在废纸篓里的时间拿出三分之一来，起码能读一万字。

这些不重要，重要的是这样的一天合乎你最初对美好星期日的想象，比你真实所过的有趣。

上周，妈妈告诉你，她很忙。

你觉得奇怪，她退休在家，老年大学正在放暑假，房子不过两三间，家务有限。

但某亲戚的孩子也放了假，"想来我家住一段时间，总不能拒绝吧"。

前领导的孩子要结婚，点名要"阿姨画的画"，妈妈业余时间专攻工笔画，家里满墙都是她的作品，"这也不能拒绝吧"。

前同事家要装修，而妈妈有装修经验，"让我陪着一起去建材市场，这更不能拒绝吧"。

谁都难得张一次嘴，谁都不能拒绝，你知道妈妈想要的是休息，或者"和爸去郊区采摘"，但现在她忙得不可开交，天太热，她有点儿中暑，她宁愿委屈自己，让位于人情。

昨天小周临时爽约，没和你一起健身。她说，她的大学同学突然造访，要接待。

其实那同学和小周关系一般，但"人家来北京出差，主动约我，我拒绝，不合适"。

小周悻悻："要陪同学吃饭、购物，还要玩，这几天就报销了。"你明白，小周更悻悻的是，她的健身计划耽搁了，"先让让位"。

所以，你想到自己。

让位。你今天让的是一张碟，明天还会让什么？

总有"就差你，快来"的聚会；总有某个同学的表哥找到你，请你改一篇论文；总有闺蜜柔声相求"陪我相亲"。

夜深人静剩你一个人揉着惺忪睡眼赶报告。

地铁上，你用耳机隔出相对宁静的空间，才有机会好好读一本书。

你最好的时间总被突然出现的人或事占据，你最想做的事往往成为一种牺牲，最后变成奢求，你每次都让位，其实你对自己最狠心。

你并没有意识到，别人在置换你对生活的安排，从一天到几天到更久，渐渐地，无数个别人组成团队……

你打个寒战。

哪些是可以拒绝的十分之九

我不想将时间功利化，但我想告诉你，你的时间放在哪里，事关你和人生目标的距离。

如果你的人生目标是做一个饱学之士，今天你被耽误的一万字阅读，就是你和你的目标本来能缩短的一步。

如果你的人生目标是事业有成，你在网上浏览业内新闻也比敷衍师弟的稿子有建设性。

哪怕你什么都不想干，只想做个快乐的人呢。你今天别扭着，后悔着，倾听朋友梁的烦恼，她吐露给谁都一样的烦恼，你赔上你的时间，也不能解决她的问题，还耽误了你浮生偷得的半日闲。

就算没有人生目标，起码你对理想生活有个朦胧的想象吧。

你的妈妈想去郊区采摘，其实明天就能办到，但一天一天不知道拖到什么时候才能实现，你如果劝说她明天就实现，她就提前进入理想生活，哪怕只一天呢，也好过总碰不到边缘。

你也同理。

你必须知道对你来说最重要的是什么。

你的时间值得做更有意义的事，你被耽搁，被置换得越多，你离你的目标、理想就越远。

那件最重要的事，才是你最该花时间的事，其次是此时此刻能给你带来最大快乐的事。

总有人情世故，总有一些人际关系需要维系，故交近友，亲戚同事，但这些只占你生活的一部分，你的时间确实要献给亲情、友情，但不是全部，你该有个时间、精力的分配，还有，你最重要的那件事不能让位。

你说，你的口碑很重要。

其实你的心里最清楚哪些是别人需要你，非你不行的十分之一，哪些是你可以拒绝的十分之九。你能把这十分之一做好，对人对己，都足够了。

你说，也许，下次别人会注意，类似情况不会出现。

你不能被动指望别人发善心不再打扰你的生活，你的生活你要掌握主动权。你美好的今天、昨天还有某某天已经被置换，不拒绝，就无法杜绝，难道你还等待着烦恼复制下去？

　　别说你不好意思，任何人提出要求时，都是试探性的，虽然有人的姿态势在必得。除非当个老好人就是你的目标，否则，那十分之九该为你的人生目标、理想生活让位——还有什么比它们更重要？

　　我们从来无法控制会发生什么事，唯一可控的是面对事件时我们自己的态度——谁都不能安排你的生活，除了你自己，除非你同意。

代后记
三五年后才明白

　　看《武林外传》时总想到初入社会的我们，当时当地想不明白的，三五年后自见分晓，只想告诉那时的自己，一切都会过去，一切都会到来。

　　有些事情，初入社会时，我们根本不明白，三五年后再回头，一切一目了然。

　　比如，关于自我。

　　大多数人都像《武林外传》中的郭芙蓉，梦想很丰满——要在江湖上闯荡一番；现实却很骨感——"屈尊"在同福客栈做个小杂役。

　　做杂役就做杂役吧，可就连杂役我们也做得不够好。有时，我们拿出自以为有见地的建议，想秀一把，如郭芙蓉要在同福客栈实现"餐饮洗浴一条龙，娱乐休闲一体化"。谁知，没得到赞扬，反受到奚落。

于是，"是我的问题，还是单位的问题？"几乎成了同阶段，有相似经历的人们共同的问题。

三五年后，你失笑于"牢骚，装病，偷懒，怠工"处理"职场失意"时的作为；你总结那时的自己，"典型的眼高手低"；你会感激最初打击，又指点你的那个人，一如佟湘玉之于郭芙蓉，她说，"做事情要靠手，而不是嘴""不要小瞧看似破烂琐碎的小事……用不了多久，期待中的那些大事就会不请自来"。

又比如，身边的某个同事。

她要才有才，要貌有貌，要关系有关系，为人和气，善作周全，可偏偏就是她人缘最不好。就像同福客栈里的祝无双，业务能力最全面，论做饭，一出手就把专职厨师李大嘴比下去；论武功，她是葵花派的关门弟子；论干活，她收拾过的地儿"干净得没地方下脚"，可谁都不领情，哪怕关系最亲密的白展堂都说，"别感觉你好像多上进，别人多落后似的"。

"勤快、上进也不对？""职场太黑暗了吧！"多少新人有过类似的感慨和疑问。

三五年后，你洞悉无双型同事不受待见的关键——她是熟人介绍来的，但和熟人白展堂太亲近，这恰恰犯了老板的忌；一开始她就作为郭芙蓉的替身出现，自然"将永远被拿来跟前任做对比"。个中教训，给你启迪"熟人介绍是捷径，处理不当同样会引来麻烦"，"要保持个性，不做别人的影子"。

刚工作时，你不知道如何与上司相处。

摊上白展堂的妈白三娘这样的上司，你简直要崩溃。她太强了，业务强，所以她的标准高——她要求下属和她一样强。于是，就像白三娘折腾佟湘玉，加班、配套的监督机制，"又想马儿跑，又想马儿不吃草"都让包括你在内的所有人怨声载道、不寒而栗。

熬夜成习惯，瞪着布满血丝的眼赶活儿，你不明白有这样的上司是好是坏，更不明白如何摆脱疲劳和压力。

现在，你会告诫新人，面对女强人上司，切勿偷奸耍滑，因为"每一个非分的举动在她面前都显得滑稽和幼稚"，还有，尊重她，真诚地说出你的意见，明示而不是暗示，解决问题而非怨天尤人。

涉世之初，身在其中的人不明白，周遭的环境、周围的同事，以及各种微妙的生活现象。过了三五年，你慢慢沉淀，慢慢积累，你见得多了，吃过亏、上过当，也经历了成长，你未必世故，但起码老练；你懂得如何保护自己，并开始适度示弱。

那么回想一下从前吧，那些看不明白的事儿，曾经的苦恼，电光火石间融会贯通，答案显而易见。

就像，就像掀开同福客栈屋顶的一片砖，往下看：

佟湘玉摇着扇，吕秀才忙着算账，郭芙蓉甩着毛巾擦桌子，白展堂穿梭来去，招呼宾客，李大嘴一边做饭一边偷吃……

各司其职、各得其乐，却波涛暗涌：有"凤凰女"和"孔雀女"的对峙，有"情与利的博弈"，有"隐秘的办公室权力"，有谎言，有伤害，有真挚的友谊和帮助。

这片砖也让你于现实中抽离，如同回望格子间里一脸青涩的自己。

林特特